Corpo desfeito

Jarid Arraes

Corpo desfeito

4ª reimpressão

Copyright © 2022 by Jarid Arraes

Grafia atualizada segundo o Acordo Ortográfico da Língua Portuguesa de 1990, que entrou em vigor no Brasil em 2009.

Capa
Julia Masagão

Ilustração de capa
Rafaela Pascotto

Preparação
Cristina Yamazaki

Revisão
Huendel Viana
Nana Rodrigues

Os personagens e as situações desta obra são reais apenas no universo da ficção; não se referem a pessoas e fatos concretos, e não emitem opinião sobre eles.

Dados Internacionais de Catalogação na Publicação (CIP)
(Câmara Brasileira do Livro, SP, Brasil)

Arraes, Jarid
Corpo desfeito / Jarid Arraes. — 1ª ed. — Rio de Janeiro : Alfaguara, 2022.

ISBN 978-85-5652-141-5

1. Ficção brasileira 1. Título.

22-105340	CDD-B869.3

Índice para catálogo sistemático:
1. Ficção : Literatura brasileira   B869.3
Maria Alice Ferreira – Bibliotecária – CRB-8/7964

Todos os direitos desta edição reservados à
EDITORA SCHWARCZ S.A.
Praça Floriano, 19, sala 3001 — Cinelândia
20031-050 — Rio de Janeiro — RJ
Telefone: (21) 3993-7510
www.companhiadasletras.com.br
www.blogdacompanhia.com.br
facebook.com/editora.alfaguara
instagram.com/editora_alfaguara
twitter.com/alfaguara_br

Aos que foram desfeitos.

1

Sem roupa e de joelhos, abaixei a cabeça para não encarar a estátua. Uma das velas estava derretida pela metade, mas a pequena chama se debatia em reflexos na parede, como se vivesse por mim o medo que meu corpo não podia ganir.

Pelada, esperei o próximo toque. Meu corpo mostrava as costelas, o umbigo mal cortado que virou uma bolinha para fora, as cicatrizes, queloides, os pelos finos nos braços e pernas. Talvez fosse assustador o meu semblante bege de menina de doze anos, sustentando meu peso sobre joelhos pontudos, quieta, numa espera sem ponteiros.

O primeiro toque foi no ombro. Eu já esperava. O segundo foi na cabeça, para dizer que meu cabelo deveria ser preso com o elástico. Em seguida, outra vez no ombro, e um chiado de quem ordena silêncio, para que eu aprumasse a postura. Com sorte, o próximo toque seria do tecido que viria avexado para me cobrir, defendendo minha pele, como se o pano sentisse vergonha por minha figura exposta e de mansidão prostrada.

Vó me tocou pela quarta vez e deslizou seus dedos enrugados por meu rosto. Desenhou uma linha na minha testa e fez cinco pontos invisíveis nas bochechas e queixo, o último no nariz. Iniciou o murmúrio, agora me transferindo a missão do toque. Apertei pontos invisíveis por todos os espaços de minha carne. Braços, meu pouco peito, na altura do estômago, nas coxas e onde fica meu útero.

Com vó aprendi que o meu deveria ser abençoado antes que alguma maldição se enfiasse dentro dele.

— Sua mãe vê tudo, Amanda.

Falou como num choro. Como se aquela situação inteira, e até mesmo a presença de mainha, fossem caso de palavra tremida.

Era o normal de minha vida. Contava com a repetição daquela reza, soberba em sua segurança, direcionada à mainha, a única capaz de me oferecer a proteção que uma menina de doze anos deseja, mesmo que eu ainda não soubesse distinguir como o abrigo e a caverna se confundem.

Como se escutasse atenta, a estátua de mainha parou seus olhos esculpidos dentro dos meus. O corpo pelado virou fumaça de anseio e me enxerguei flutuando pelo quarto. Estiquei o dedo indicador para tocar a estátua que imitava tão bem os traços dela. Queria sentir a trama macia de sua pele só mais uma vez e, de tanto querer, me soltei de minha carne.

Nada conseguia me puxar de volta. Do alto, escutei a última ordem. Na verdade, a tosse seca que dava a deixa para a reza. E sabendo que aquilo tudo logo estaria acabado, segurei minha atenção na estátua. Minha boca repetia pelo oitavo mês seguido.

— Santa Mãe, Santa Filha. Que seus olhos acompanhem nossos corpos. Que sua boca nos conte rios de perdão. Santa Mãe, Santa Filha, que bondosa nos estende a mão. Com pureza pedimos e por pureza rogamos.

— Amém.

2

Dezenas de carrancas abriam seus dentes pontudos ao lado de santos que mostravam as palmas das mãos. Me chamou atenção o são Francisco segurando uma cruz junto ao peito, o rosto virado para cima clamando pelo céu. Era a primeira vez que via tantas esculturas de santos sendo feitas na minha frente, com toda aquela poeira de madeira pairando sob uma linha de sol. Espadas no coração, espinhos, flechas, pés descalços, lágrimas. Demorei meu pensamento na figura de são Sebastião; imaginei que quando se desenha o amor com uma flecha transpassando um coração, o tema deveria ser sacrifício. Mas muita gente despercebe que amar é como oferecer o corpo para ser punido.

Que engraçada aquela fila que começava com uma enorme estátua do Padre Cícero, a cor preta muito forte de sua batina, e se findava em esculturas de bichos, feras, animais retorcidos e salpicados de amarelo que eu não consegui reconhecer.

O artesão ao nosso lado terminava uma Virgem Maria. Não estava colorida, mas era muito bonita no tom natural da madeira. Ele talhava os últimos detalhes juntando suas sobrancelhas, fazendo pedaços caírem como pétalas.

— Meu filho, vocês aceitam encomenda de santa?

Foi a primeira vez que ouvi vó chamar alguém de filho, ou filha.

— O que a senhora tá procurando? A gente tem é muita já feita.

— Não, não. A que eu quero é especial, igual a essa daqui da foto.

Tenho certeza de que o homem esperava por uma foto de altar, de igreja ou de procissão, mas quando prestou atenção ele espremeu os olhos, como se tentar enxergar melhor pudesse apagar a confusão de sua cabeça.

— Mas aqui é uma mulher.

— Sim, ela é santa.

— Não, minha senhora, eu não conheço essa, e a foto é bem recente, oxe. E esse vestido branco. Não é santa, é uma moça normal.

Vó revirou a cara de boazinha para uma quase besta-fera que ainda escondia os caninos.

— Se você soubesse como essa moça foi uma santa.

— Mas a senhora quer uma estátua dela?

— Isso, com a cara dela. Mas de manto.

— De manto? Manto como? Não sei se dá, viu. Isso até pecado deve ser.

Cocei atrás da orelha, agoniada com o bafo quente da tarde. Não queria que a conversa demorasse mais. Que ele aceitasse ou não, mas eu queria voltar para casa.

— Digaí, quanto é uma santa daquele tamanho? — O dedo torto apontado para uma Nossa Senhora Aparecida.

— Depende. Se vai pintar, depende.

— Se eu pagar quinhentos reais, paga uma santa desse tamanho?

O problema não era o tamanho.

— Deixe o padre dizer antes, vou perguntar se é desgosto pra Nosso Senhor, aí se ele falar que pode, eu faço. Que eu não quero dar na desgraceira depois.

— Por seiscentos?

— Mas era santa, assim, como?

— Boa, paciente, pelejou muito na vida, morreu de injustiça.

O artesão olhou para mim como se me perguntasse o tamanho do seu descumprimento de fé. Imaginei a cabeça funcionando, preocupado se me daria mau exemplo, e o que os colegas achariam dele, fazendo santa de mulher qualquer.

— Só botar esse rosto assim num corpo de santa com manto?

— É, precisa nem pintar. A cara que tem que ser igualzinha.

As folhas de dinheiro me assustaram. Foram muitas que passaram de uma mão para outra. Eu nem sabia que vó tinha aquele dinheiro todo. Se eu soubesse que aquilo tudo estava guardado em algum lugar, não teríamos passado aqueles dois meses de aperreio.

Meu impulso foi fazer qualquer pergunta para entender, mas minha mão pareceu tomar consciência sozinha e se colocou com rapidez tapando minha boca. Foi como um soluço.

— O que foi, Amanda?

Sacudi a cabeça com todas as palavras dentro.

— Nada não, vó.

Ela fez a cara puxar seus lábios para cima, angulados num tipo de sorriso sem dentes. Parecia mais irritada do que feliz, mas mesmo assim sorri de volta.

— Tá feliz porque deu certo?

Deixei meu soluço responder.

3

Aos quinze anos, deixou a vida para trás quando teve que esco-lher entre a gravidez e o ensino médio. A barriga era perceptível e falada, famosa por ser uma das raras barrigas de adolescente que a maioria dos colegas já tinha presenciado. Um fenômeno da impulsividade e um atestado da incapacidade feminina de fechar as pernas, segundo vô Jorge.

Mainha não quis mendigar a paternidade, decidiu que me criaria sozinha, queimou os rastros e colocou um peso de esquecimento no que podia ser deixado vazio. Apesar das ameaças dos punhos encalotados de vô Jorge, que só aceitaria um casamento, ela começou a trabalhar na mesma semana em que largou as boas notas e o talento para esportes. Tirou a lona que cobria a máquina de minha bisavó, dona Mocinha, e passou a oferecer serviços de costura a preços abaixo da média. Começou com barras de roupas e pequenos consertos, mas logo ensinou às próprias mãos a coordenação do pedal com o tremelique do motor, todas as agulhas, linhas e pontos. Ganhou paixão especialmente por enxovais de bebês, cheios de bicos e bordados. O meu foi o primeiro enxoval que fez na vida, e escolheu a cor verde, que eu detesto, para não errar meu sexo.

Costumava trabalhar virada de lado. Já com a barriga grande e o umbigo estufado, não conseguia ficar de frente sem se machucar. Estava costurando um vestido quando começou a sentir minha inconveniência doendo, mas só pediu ajuda para ir ao hospital depois de terminar de pregar os botões. Era um vestido de primeira comunhão, a família tinha urgência. Eu não. O parto exigiu doze horas de dor e cansaço, mas vó me contou que ela nunca gritou. Apertava os dentes de cima contra os dentes de baixo e rangia a mandíbula, orgulhosa demais para chorar ou pedir injeção. Aos dezesseis, segurando sua cria com cheiro de mijo, estava apenas começando sua tentativa de autoafirmação. E, pelo costume aprendido nos meses anteriores ao meu nascimento, escolheu o trabalho como condenação.

O peito era seco e o dinheiro que fazia com a costura virava filete de esgoto nas mãos de vó. Tudo vinha antes de mim e do leite em pó que eu precisava, todas as prestações, vontades, todas as obrigações de uma casa. Vó tratava a mixaria como se fosse muita coisa, alegando que mainha não saberia lidar com dinheiro, talvez porque seu valor simbólico fosse muito maior do que a soma das notas amassadas e pregadas com durex. Mas mainha não reclamava, sempre disse que estava pagando o desgosto. Só que decepção não se compensa, é dívida eterna.

Como eu não tinha o que mamar, cresci já meio murcha, meio sem força no choro. Sabendo da história, não entendo como sobrevivi. Meu primeiro tempo de vida foi todo acolchoado pelas almofadas que me protegiam das grades do berço, mas que também tapavam minha visão. Não sei se demorei a me desenvolver, assim no completo, mas demorei a falar. Como se não quisesse ter o que dizer. Mainha não desfazia os nós de minha língua, estava sempre trabalhando. Ainda adolescente assumiu o sustento da casa, tapando os buracos que vô Jorge deixava.

Quando vejo suas fotos, não reconheço aquela pessoa eternizada em tons vibrantes. Antes de mim, era uma garota com sorriso de quem distribui gaitadas, alguém que provava sua existência. Os cabelos sempre longos e presos de lado por fivelas coloridas. A farda da escola um pouco menor do que o tamanho sugerido. Nada parecida com a mainha que me pariu e que conheci miúda. Depois de mim, quieta demais, sem vontade de compartilhar os pensamentos, como se amaldiçoada pelos meses que me deixou sozinha entre as grades atalcadas.

Não conheci meu pai, mainha nunca me permitiu perguntar mais do que duas angústias. Sem entender as regras, quis saber onde ele vivia e por que não estava com a gente. Não sabia e não sabia. Deveria ter perguntado o nome e, talvez, como se conheceram. Por ingenuidade, fiz as perguntas mais sinceras.

Apesar do contorno borrado que aquela ideia de pai tinha, eu sentia que não precisava de outra pessoa. Precisar é palavra braba que não se pode gastar com qualquer gente, ou ela se vira contra você. Mas mainha, sim, era caso de precisão. O pão e a água da nossa casa. Tanto eu quanto vó dependíamos dela.

Eram três os turnos de trabalho. Além do serviço de costura que separava para os sábados e domingos, durante a semana trabalhava numa loja de roupas na rua São Pedro, uma daquelas onde as vendedoras ficam plantadas nos batentes gritando promoções contra quem passa pelas calçadas.

Eu tentava não reparar. Uma rejeição justificada pela agonia tão grande que era caminhar por aquela estreitidão entupida, gente subindo e descendo, se batendo, levando topada, trocando juízo e, pior, por algumas horas mainha também se transformava em uma das mulheres que eu detestava. Uma batentista tossindo preços baixos e insistindo venha, jovem, entre, três por dez.

Nos outros horários, sua função era de balconista, mostrando roupas para quem queria dar só uma olhadinha. Derrubava as peças das prateleiras mais altas, se enfiava debaixo da mesa para resgatar tamanhos perdidos e na maioria das vezes não fechava venda alguma. Depois tinha que dobrar e guardar tudo de novo.

Como balconista, tentava vencer o próprio dono da loja. Porque não recebia salário, daquela peleja todo o dinheiro que conseguia vinha de comissão por vendas. E não tinha nem dez minutos para descansar. Era proibido sentar. O dono dizia que nenhum cliente gostaria de entrar na loja e encontrar vendedoras com as pernas folgadas em cima de tamboretes. Por isso mainha ficava das sete até as seis papocando varizes.

Almoçava perto do banheiro que ficava nos fundos da loja, escorada na porta imunda que acumulava cinco gerações de sujeira. Quando o dono não estava, o que só acontecia por poucas horas e de vez em quando, ela arriscava sentar no chão para comer, contando com a tolerância das outras mulheres, que nem sempre conseguiam cinco minutos de cócoras.

Então voltava para seu posto. E mentia. As roupas sempre caíam bem em qualquer corpo, as estampas de oncinha com plantas e araras sempre eram bonitas. Uma luta pela comissão de dois por cento que recebia por venda. Não importava se uma cliente levava uma única camisa para o marido e a outra levava roupas para todos os filhos, cada compra valia dois por cento. Então imagino a perturbação que era tentar enfiar mais uma peça, só mais uma. A perturbação que era se especializar em mentira como aptidão para conseguir a vaga de serviço.

Mas nada me parecia pior do que o turno da noite. Imagino que mainha estava tão cansada quando chegava na casa de dona Lourdes que desligava as funções intelectuais mais exigentes e trabalhava no modo mecânico, daquele jeito que fazia aos domingos, com a agulha quase pegando de raspão no dedo quando chegava a noite.

Lá na casa chique da rua Padre Cícero, a que ficava ao lado da padaria, encontrava o velho esclerosado de quem era cuidadora. Era um saco de ossos de noventa anos que, segundo dona Lourdes, sua neta, continuava vivo porque tinha a alma sebosa.

Mainha odiava cuidar daquele velho, muitas vezes escutei a repulsa em sua voz enquanto me contava, a caminho da escola, o que tinha que fazer para receber os cem reais garantidos todos os meses. Falava como se eu, aquela menina sua filha que eu era, não fosse dona dos ouvidos que engoliam os significados. Como se eu fosse uma adulta acostumada ao nojo, como se devesse imaginar o vaso que o velho usava, a louça azul rachada, o piso molhado do mijo que sempre escapava, o papel higiênico. Era um velho teimoso na mesma medida em que era senil. Tinha dias de compreender tudo e levantar o maior furdunço para não comer o que mainha preparava ou para não ser banhado. E tinha dias de olhar para a parede, babando, e mainha precisando adivinhar suas vontades, carregar o corpo duro da cama para a cadeira, da cadeira para o banheiro, do banheiro para o sofá. Ela sempre repetia que não sabia o que era pior, mas se eu fosse a infeliz babá daquele homem, acharia a versão imóvel bem mais desagradável. Por mais bonequeiro que fosse, pelo menos sabia dizer o que não queria, e isso é ser mais lúcido do que muita gente.

As pessoas que conhecem suas desvontades sempre me causaram alumbramento. Quando mainha me deixava na escola e eu puxava Jéssica para conversar, ela sabia onde colocar cada negação. Eu que ficava com cara de lesa, concordando com tudo, porque Jéssica entendia as coisas dos adultos, mas eu só carregava tudo nas costas. Saber que mainha trabalhava demais não era suficiente, então Jéssica desenhava o tamanho do absurdo. Nossas conversas sobre o velho, o mijo e o almoço frio comido às pressas me revelavam a tristeza que se tem pelos outros. E por mainha eu sempre sentia uma gastura para expulsar muitas lágrimas.

O velho durava até dez da noite. E quando mainha chegava na nossa casa, depois que botava a janta para esquentar, vinha me dar um beijo na testa. Eu já estava na cama, fingindo dormir no quarto que dividíamos. Nunca pegava no sono antes que ela voltasse. As ruas desertas me angustiavam e eu sempre fui muito boa em imaginar coisas que podem acontecer no escuro. Tinha medo de cochilar e ser chacoalhada por notícias ruins, medo de me deixar escapar e magoar mainha, que, eu sabia, esperava me encontrar na cama enrolada pelo lençol até o pescoço, segurando o sorriso, na missão de ser sua companheira nas noites mais esticadas e nas manhãs mais ligeiras. Assim a gente dormia e acordava na mesma hora.

Eu queria ter o mesmo tempo de sono de mainha e ir de mãos dadas até a escola, orgulhosa do que eu sentia ser nossa combinação secreta. Mesmo que eu não me cansasse tanto quanto ela, eu me obrigava a lutar contra o sono. Vó nunca que se importaria com essas coisas, mas eu me importava. Por saber que mainha já era uma liga frouxa nas circunstâncias da vida, queria também o esticamento do meu corpo exausto.

Eu tinha onze anos e já cuidava da casa há pelo menos três. Tudo para aliviar o cansaço de vó, que tinha acabado de receber o diagnóstico de bradicardia ou, como eu gostava de contar na escola, o mal do coração que é muito lento.

Por vários anos, fui fascinada pela doença. Botava a mão no meu peito e tentava contar meus batimentos cardíacos, ansiosa para saber se aquela bomba de vida perderia o ritmo ou se tornaria apressada ou devagar demais. Queria esse descompasso, queria que meu coração arranjasse sua própria velocidade, diferente das batidas de todas as outras pessoas, e que eu pudesse me exibir na escola falando que a vida era distribuída em marcha lenta por minhas veias. Achava bonito quem tinha alguma doença sem remendo. Ao meu redor, todo mundo que dizia sofrer de algo crônico era tratado com mais indulgência. O mal do coração de vó, um mal crônico, era o que garantia seu descanso. E meu esforço.

Foi tentando me livrar das faxinas e panelas que, antes de completar onze anos, inventei que tinha vomitado sangue depois de ouvir na televisão que esse era um sintoma grave e que um médico deveria ser consultado com urgência.

Na aula, descrevi para Jéssica a abundância do sangue, o vermelho desesperado, como tive que lavar a pia e depois o vaso, falei que nada ficou intacto, que o que eu tinha vomitado tinha o mesmo volume da água que caiu do chuveiro aberto para disfarçar o barulho, só por isso vó não escutou. Contei para Jéssica porque queria que ela comentasse com dona Rita, e que dona Rita, numa troca de preocupações que as mães da escola praticavam, procurasse mainha para saber de mim. Não sei se Jéssica acreditou de verdade, mas fez seu papel de melhor e única amiga, ficou me olhando com o queixo desmaiado na palma da mão, o cotovelo escorregando de vez em quando, e depois comentou que nunca tinha ouvido falar de coisa parecida. Os olhos encarando minha boca, como se eu pudesse atestar o vômito pela cor dos dentes ou pelo cansaço da língua.

Jéssica tinha esse jeito de não se enfiar no meio de minha bagunça. Chegava devagar, arrodeava o espaço feito gata, as pupilas concentradas, e se fazia suave. Naquele dia eu não soube dizer se a leveza era cuidado ou descrença, mas embolar a atenção de Jéssica em mim, e sentir o que se experimenta quando sua intenção é acolhida, essa era a recompensa que eu mais buscava. Os ouvidos que, de algum modo, se importam.

Achei que, se mainha me escutasse, e se mainha acreditasse em mim, eu poderia ganhar algumas folgas na semana, apenas alguns dias livres do trabalho de casa. Achei que, digna de pena, minha vida seria menos pano de chão e mais tempo para estar na casa de Jéssica. Mas dona Rita nunca perguntou de minha saúde e mainha nunca teve tempo para me levar ao hospital. Nem achou que poderia ser uma doença séria. Me falou para não beber mais refrigerante e nem café, que logo eu melhoraria.

Depois de me ver muito amofinada, quando meu aniversário chegou eu ganhei como consolo uma Susi Vai ao Petshop. Fiquei encantada pelos cílios gigantes da boneca, os lábios pintados e a roupinha azul com estampa de cachorro. Além da sandália de salto alto, tinha um laço no cabelo e vinha com uma escova. A partir daquele dia, eu queria ser aquela Susi. O que foi ainda mais reforçado quando mainha me disse que tinha me dado uma boneca veterinária para que eu estudasse e fosse médica de bicho.

Vó não gostou do presente. Sempre que eu terminava de fazer o almoço e limpar a casa, se eu pegasse a boneca sequer para descansar minha vista na carinha bonita dela, eu podia me preparar para ouvir meia hora de essas bonecas de hoje em dia, esse short curto, as pernas de fora, esse tanto de maquiagem, minha virgem, tenha juízo, Amanda. Era um gosto por me aperrear quando eu parecia ter a menor das alegrias. Se eu não estivesse com cara de sofrida esfregando calcinha no tanque de lavar roupas, eu não estava na minha condição de espírito ideal.

Apesar de saber tudo o que acontecia, mainha só comentava o que presenciava. Se eu quisesse ser defendida, tinha que esperar pelos finais de semana. Mas não era garantia também. Mainha acordava tão cedo quanto nos outros dias, pegava uma xícara de café e entrava no quartinho dos fundos do quintal, onde ficavam a máquina de costura, as estantes de ferro cheias de carretéis de linha e tecidos de muitos tipos. Deixava seu canto apenas para conferir a limpeza da casa e cozinhar. Nos sábados e domingos mainha não me deixava trabalhar, mesmo que vó ficasse de pantim, feito menino cheio das vontades.

Para ficar com mainha, aproveitar nosso pouco tempo juntas, eu me sentava no chão do quartinho de costura enquanto ela fazia remendos e vestidos. Aos seus pés, aguardava suas palavras, seus olhos, um sorriso, uma lamentação. Tudo chegava aos poucos, por isso eu vivia pelos pedidos de água. Mainha bagunçava meus cabelos e dizia pega um copo gelado, filhinha, e isso era sempre como um cachorro pé-duro que recebe a vaga atenção de um estranho e se planta ao lado esperando por mais um pouco.

Ainda que eu pudesse, por autorização dela própria, encontrar Jéssica para conversar e passar o tempo fazendo algo mais compatível com minha idade, era muito difícil que eu escolhesse deixar mainha sozinha no mundo dos adultos. Só saía um pouco do meu lugar quando vó estava muito agressiva e passava o dia inteiro recitando todos os defeitos que eu e mainha somávamos. Nem sempre eu conseguia manter o rosto seco. E chorar, para mim, doía mais do que o motivo das lágrimas. Então corria para a casa de Jéssica e, com ela, esquecia da pia, do rodo, das calcinhas velhas e das coisas que são necessárias para se manter viva.

No quarto pintado de lilás, Jéssica me entregava o encantamento de seu mundo e a tranquilidade que só existia no seu jeito de sorrir. Sabendo de minha sede por calma, segurava meu choro nas pontas dos dedos enquanto trançava meu cabelo. A trança me abraçava e Jéssica aguentava meu peso.

Mas lembro de algumas vezes em que chorei sem tentar fugir das lágrimas. Meu aniversário estava chegando e mainha me prometeu que o dia dez de fevereiro de dois mil e cinco seria especial. Não pelos meus doze anos, idade que não inspira a comoção das tradições, mas porque depois de toda uma vida eu teria um bolo de aniversário.

Nunca tinha experimentado o prazer de cantar parabéns na frente de um bolo confeitado e com velinhas acesas. Nunca tinha feito um desejo antes de apagar a chama. Aniversários sempre foram tratados como dias comuns e o gasto de dinheiro com festinhas e coisas do tipo sempre foi considerado burrice. De certa forma, eu concordava. O bolo ia embora no bucho de quem compareceu e muitas vezes nem presente levou. Eu não tinha nem gente suficiente para convidar, então para que procurar tristeza? Era melhor ganhar uma Susi, uma sandália bonitinha, um conjuntinho de canetas com glitter. Coisas que eu pedia com meu jeito discreto, elogiando aquilo que aparecia na televisão ou mencionando que vi uma menina da escola zuadando a sandália pelo pátio. Quase sempre dava certo.

Mas se mainha queria um bolo, eu também queria um bolo. Eu queria esse bolo desde antes de entender o que era um bolo de aniversário. O glacê formando flores pequenas, meu nome escrito no topo, uma vela com os números que eu conquistaria naquela data.

Fiquei pensando nessa promessa e ganhei outra surpresa, o anúncio de que mainha tinha se matriculado no supletivo e iria, de uma vez por todas, terminar o ensino médio. Eu estava muito feliz por ela, feliz por mim. Carreguei por muito tempo o peso de interromper a vida de mainha. Queria a sensação de assistir ao cancelamento da praga que foi fecundada junto de mim.

No dia dez de fevereiro, mainha saiu cedo para fazer duas provas e pegar nosso bolo. Eu estava animada para saber como seriam suas notas, em qual das matérias ela mais brilharia. Estava me acabando de ansiedade para saber como o bolo tinha ficado com meus pedidos de decoração. O coração alargando seu espaço e tomando o lugar de minhas tristezas descuidadas.

Mas nunca soube.

Daquele dia, o acidente que ela sofreu foi a única coisa que conheci em todos os detalhes.

Atravessava a rua Padre Pedro Ribeiro na esquina com a São Pedro, sem prestar atenção no trânsito, e foi atropelada por uma topique que vinha em velocidade acima do permitido.

A cabeça foi esmagada pela roda e ficou debaixo do pneu por horas. O sangue cozinhando no mormaço, as bolhas estourando no asfalto quente. A blusa de malha que se rasgou e a barriga toda ralada. Ninguém achou que mainha sobreviveria. Todo mundo desceu para olhar, ninguém quis pegar outro transporte na calçada de lá, e bastava só atravessar a rua. Quiseram assistir, futricar a desgraça.

A morte de mainha foi uma traição. Com esse tipo de morte você não se relaciona. Esse é o preciso tipo de ir que torna a morte, para aqueles que sobram, uma negação do que se entende como natural. Nem morte morrida, nem morte matada. Morte traída.

Pela segunda vez, mainha perdia a vida na data do meu nascimento.

Chorei. Engasguei muitas vezes no meu catarro.

A parte mais triste foi que insisti em escolher o caixão e vó permitiu. Quando entrei na funerária, senti as pernas virarem dois barbantes sem nó. Achei a coisa mais horrível do mundo aquelas caixas de morte enfileiradas, exibidas como móveis, divididas por preço e nível de conforto. Como se fossem parte de quem continua e não a cama do fim.

O velório e o funeral são borrões inconstantes na minha memória. Lembro de pessoas e suas caras torcidas de compadecimento por mim. Muitas passaram me dando os pêsames e só quando ouvi essa palavra foi que me toquei de que conhecia seu significado. A irmã de vó, tia Margarete, estava lá, mas vô Jorge não apareceu. Colegas de trabalho, dona Lourdes, dona Rita, clientes. Muitas mulheres, quase todo mundo que estava lá era mulher. Não lembro de ter visto qualquer criança além de Jéssica.

O que não esqueço de jeito nenhum é a coisa toda do enterro. Quando era menina pequena, tinha medo do Cemitério do Socorro e sempre que ia para a missa com vó pedia para não passarmos por aquele trecho. Depois que cresci, aprendi que não tem necessidade alguma desse caminho para encurtar o tempo até a igreja, vó pegava aquela rua porque queria, apesar do pavor em meu rosto, ou por causa dele. Quando mainha morreu, fui obrigada a entrar naquele cemitério sem nenhum desejo de conhecer o que é um cemitério. Vendo o caixão, que eu também não queria ter conhecido, se afundando para o profundo da terra revirada de tragédia.

Reparei em várias lápides e túmulos. Quase desmaiei quando vi a primeira casinha. Aqueles túmulos enormes que têm até porta, onde as pessoas podem entrar para deixar flores e velas. E embora eu tenha pensado que era túmulo de rico, não consegui afastar meu pensamento de uma única curiosidade. Se eu construísse um igual para mainha, o espírito dela voltaria para conversar comigo quando eu visitasse?

Achei que passaria por alguns meses muito difíceis a partir daquele dia, mas vó frustrou meus planos de sofrimento e disparou na minha frente. No final do mesmo dia, já estava em seu quarto, também enterrada debaixo do lençol branco, soltando gemidos altos que me assustaram. Eu nem sabia que vó seria capaz de chorar por mainha.

Ela não saía da cama para nada, nem para comer, nem para tomar banho, nem para usar o banheiro. Sujou a cama e fiquei meia hora chamando vó, vó, a senhora levanta, por favor, vó, pra eu trocar a roupa de cama, vó. Quando ela ouviu e levantou, ficou com os braços caídos como se dois pesos estivessem prendendo suas mãos ao chão. Eu pedi que fosse tomar banho e ela balançou a cabeça dizendo não. Então pedi que ela tirasse a roupa, pelo menos, e eu pegaria outra, e também traria algo para ela usar como penico. Depois que ela vestiu a camisola e deitou, cheguei com um balde branco e avisei que eu pegaria todos os dias para limpar.

E assim aconteceu.

Todos os dias, o dia inteiro, um gemido gutural tomava conta da casa. Parecia um choro de profundo desamparo, não como uma mãe que perdeu a filha, mas como um recém-nascido que, expulso do útero, buscasse pela extensão de si e só sentisse as luzes brancas agulhando seus olhos.

Algumas vezes eu passava pelo quarto e ela estava no escuro, sentada na cama com os braços se mexendo. Parecia uma espécie de dança ou a tentativa de agarrar algo. A única luz lá dentro era a que vinha do corredor. Quando ia levar comida, e ela só engolia algo a cada dois ou três dias, eu primeiro enfiava o braço para encontrar o interruptor. Só com a luz amarela acesa eu ousava colocar meus pés lá dentro.

De madrugada, se eu tinha o azar de querer fazer xixi, via o lençol branco jogado no meio do corredor e não tinha coragem de ir confirmar se vó estava no quarto ou em outro cômodo da casa. Eu saía quase correndo, só não pegava mesmo carreira para não fazer barulho. E voltava com o coração batendo tão forte que quase não era possível sentir os intervalos. De tão rápido, virava uma coisa só.

A única novidade boa que aconteceu durante aquelas semanas foi a ajuda de dona Rita. Poucos dias depois do funeral, ela veio visitar e oferecer dinheiro. Disse que sabia que vó não trabalhava, eu completei dizendo que muito menos naquele estado, e ela falou que gostaria de me presentear com uma quantia que nos ajudasse um pouco até que as coisas melhorassem. Dona Rita esperava que tudo melhorasse logo, e eu também, e talvez por isso, ou por não ter tanto dinheiro quanto aparentava, faltou bastante para garantir o básico por algum tempo. O valor ficou bem abaixo do que de fato precisei, então dei prioridade para as contas de luz, água e aluguel e arrisquei fazer só duas compras no mercantil, escolhendo devagar a comida mais barata e que durasse mais tempo, como se a passagem do relógio diminuísse o custo de tudo. Saí de lá com arroz, tomate, laranja e ovo. As duas vezes. Foi isso que comemos todos os dias, uma vez por dia. Até cheguei a fazer a limpeza da casa só com pano e água, já que não dava para gastar com desinfetante e sabão.

Sentia muita pena de vó, mesmo que eu estivesse mais assustada do que compadecida. Era muito triste ver alguém daquele jeito, falando e respondendo para o vazio.

Eu não aguentava mais viver sozinha com aquela mulher.

Quando casou, vó foi ameaçada de morte muitas vezes. Muitas vezes quase foi morta. Jamais faltaram motivos para que vô Jorge, virado na cachaça, aceitasse o impulso de pegar uma peixeira. O arroz sem sal, a camisa engilhada, o som muito alto, o cachorro da vizinha que latia no quintal, se vó sorria sem motivos ou se chorava enquanto guardava as roupas. Tia

Margarete era a testemunha das muitas ações mínimas que o atiçavam. E se vó se ressentia, se o rosto falhava em esconder a verdade, isso também era tomado como provocação.

Vó se encantou por ele quando ainda morava no sítio. As famílias se conheceram num São João da igreja, conversando sobre pragas na plantação e filhos na idade de casar. Vó passava horas falando para tia Margarete sobre a elegância de vô Jorge, que mesmo tão jovem andava com lenço no bolso e perfume de alfazema, mas teve a imensa idiotice de não prever o futuro. Casaram felizes, ou era assim que ela entendia a situação, mas a realidade ganhou ranhuras muito diferentes de felicidade. Não demorou e ela estava desviando de panelas de pressão cheias de feijão. A casa era silenciosa até ele voltar do trabalho.

Sem aguentar mais tanta vergonha, vó implorou para mudar de bairro e morar no centro. Viver numa rua com poucas casas construídas era um erro, os vizinhos se escorregavam na vida dos outros e se esforçavam para escutar o que estava acontecendo nas casas próximas, sempre de mutuca, mesmo que um terreno baldio botasse alguma distância entre os muros. Vô Jorge também pareceu gostar da mudança, sempre quis afastar de vez as pessoas que vó tinha como amigas. Não gostava que ela parasse alguns minutos na calçada para conversar e pagava cinquenta centavos para que os meninos da rua contassem se ela tinha ousado sair e com quem tinha falado.

Mudar para a rua Santa Luzia foi conveniente para os dois. Um pouco mais de privacidade para todo tipo de coisa, desde disfarçar as agressões que ela sofria do marido até a plena liberdade para que ele se amancebasse com as quengas. Graças a vô Jorge, aos oito anos compreendi muito bem a diferença entre quenga e rapariga, e também que às vezes são a mesma coisa.

A nova casa ficava perto da feira da rua São Paulo, logo na esquina, e perto de uma das entradas do Mercado a um quarteirão de distância. O último charme era seu Lunga, com sua loja na mesma calçada, famoso no Brasil inteiro pelo boato de ser ignorante com as pessoas. Vó gostou de morar lá desde o primeiro dia, quando ainda tirava as coisas das caixas durante a mudança que fez sozinha, já que tia Margarete estava doente e não pôde ajudar.

Vô Jorge não estava com ela fazia alguns dias. Tinha o hábito de beber e bater, ou de beber e sumir. Depois aparecia e trazia de volta toda a rotina de barulhos e ameaças. Mas, morando no centro, vó não conhecia ninguém e ninguém aparentava se importar. Se encostavam suas orelhas nas paredes para tentar escutar melhor, nunca soube, mas também nunca a procuraram para conversar sobre o que as mulheres da rua consideravam muito preocupante. Vó não precisava de ninguém para contar as coisas roxas.

Desconsiderando minha presença de criança, vó justificava, quando tia Margarete vinha do sítio, que vô Jorge nem sempre tinha sido um homem difícil, o que eu nem conseguia imaginar. Mas quando vó pariu mainha, um ano depois do casamento, a mudança aconteceu. Como a bebê nasceu muito cabeluda e com fios lisos e pretos, ele desconfiou que fosse filha do vizinho. Começou a enxergar na cara de mainha as feições do outro homem e alarmou adultério, com a palavra orgulhosa de seu acento. Vó tentava chamar atenção para o narizinho idêntico ao dele e para a marca de nascença na coxa, parecida com a marca que ele tinha atrás do braço direito. Mas muita gente tem marcas e o nariz dos recém-nascidos é sempre igual, não era o nariz que o faria desenxergar o vizinho no rostinho da filha.

Muito tempo de vida foi gasto tentando provar que mainha não era filha de outro. Quanto mais vó arrumava o que entendia como evidências, mais ele esticava a baladeira para mostrar que jamais aceitaria a menina. Deixou de ser cria de um, virou cria de outro, depois outro. Tia Margarete percebeu que a lista dos homens com quem vó teria feito todo tipo de coisa contaria os nomes de todos os homens de Juazeiro. Então aconselhou que vó parasse de trocar juízo. E ela procurou outra maneira.

Enquanto mainha crescia, vó dava toda instrução para que tratasse o pai com muito agrado. Mainha fazia desenhos, entregava o café numa bandeja, levava e trazia copos de água, ficava em pé ao lado da mesa com uma jarra de leite quente para molhar o cuscuz, dizia que o amava, todas essas coisas que crianças rejeitadas se esforçam para fazer antes que a rejeição seja aceita. Mas nunca adiantou. Ela foi criada por uma espécie de obrigação moral muito confusa.

Os vizinhos não deixavam que ele esquecesse da grande diferença entre seus cabelos e os cabelos de mainha, sempre elogiavam os fios longos e escuros. Mas se algum deles mencionava as semelhanças entre pai e filha, vô Jorge se irava e acusava vó de influenciar a palavra das pessoas oferecendo dinheiro para que mentissem. Como se o dinheiro pudesse ser suficiente para trocar uma esculhambação, um espetáculo, coisa que move vizinhanças inteiras, pela temporária tranquilidade de um casal desgostado.

Na primeira festinha de aniversário de mainha, ele apareceu bêbado e puxou vó pelo braço até a cozinha. Tinha esquecido da festa e, em vez de ficar quieto, resolveu que a culpa era de vó por ter planejado a comemoração. Então quebrou um prato na cabeça dela e foi deitar. Vó tentou se recompor o mais rápido possível, limpou o filete de sangue que escorria do couro cabeludo e deixou para recolher os cacos depois, mas quando voltou para a garagem encontrou o espaço todo vazio e apenas tia Margarete segurando a sobrinha. Os convidados tinham ido embora, mas não sem antes pegar as sacolas com lembrancinhas.

A partir daquele dia, as coisas pioraram ligeiro. Tanto os tapas e murros como os maus-tratos contra mainha, ainda bebê. Ele gostava de beliscar a perna ainda gordinha, dava risada quando o choro alto rompia os limites das portas. Proibia que vó trocasse fraldas, com a desculpa da economia, mas sempre queria saber se mainha estava assada. E, quando estava em casa, não permitia que ela comesse mais de uma vez ao dia, dizendo que criança precisa de pouco. Vó tinha que encher a fuça de mainha durante as ausências de vô Jorge, cuidando para que ele não desse muita falta dos alimentos, já sabendo que a partir das seis mainha teria que ser forte para aguentar até depois do café da manhã. Nos finais de semana, deixava a menina chorar de fome até que ele próprio perdesse a paciência e ordenasse dar de comer à criança. Mas se encimentava ao lado do berço ou da mesa, contando os caroços de fruta e o quanto a mamadeira estava cheia.

Para que vô Jorge não enxergasse traição em todos os vultos, vó pedia que ele levasse a chave e a deixasse trancada dentro de casa. Queria que ganhasse confiança. A única coisa que vó se dava permissão para fazer era ir à igreja. Quando se mudaram para o centro e mainha tinha seis anos, vó escolheu a igreja da Matriz como refúgio. Vô Jorge não reclamou, mas não acompanhava. Para ele era melhor que ela estivesse num lugar onde, na cabeça dele, as pessoas mal se falam. Na verdade, vó teve muita sorte porque ele nunca achou defeito nos padres.

Vô Jorge ia e vinha guiado por sua vontade ou pelos pés na bunda que levava de suas quengas. E, para voltar, só tinha duas maneiras. Ou ele aparecia na calçada, esmurrando a porta, que se tremia inteira imitando nosso susto, ou alguém vinha avisar que seu Jorge estava caído na rua, apagado no bar da esquina, espragatado na praça da Prefeitura, o lugar onde ele gostava de despencar, nunca entendi por quê. E era muito melhor que chegasse chutando a portinha de madeira que sacudia desavisada, apesar do horror que acompanhava o gesto. Porque a outra opção envolvia muito mais humilhação. E foi o que aconteceu da última vez.

Todos que estavam nas lojas, lanchonetes, nos carros, nas carroças suportadas por jegues, todos que estavam pelo caminho puderam assistir à esposa que carregava, com um carrinho de mão emprestado por seu Lunga, o marido desacordado. Empurrava com toda a força que tinha, tentando não demonstrar qualquer sentimento. Aquele velho fedendo a fubuia e cagado.

Ele se cagou.

Quando chegaram em casa, o fedor de bosta infestou todas as paredes. Fui de imediato pegar uma bacia com água e quiboa e passei a tarde inteira esfregando a casa com a vassoura. Paralela à minha pressa de não permitir mais sujeira para limpar, vó dava banho no marido sem-vergonha. Era muita falta de respeito próprio, desmaiar cagado na rua e contar com o heroísmo da esposa que vive com uma montanha de galha na cabeça, suportando todas as traições e abusos.

Mas essa nem era, para mim, a pior parte. O que mais me machucava era a continuidade do ódio que vô Jorge sentia por mainha. Eu já sabia que, com ele de volta, mainha chegaria do trabalho e perderia a estrutura dos ombros.

Vô Jorge não contribuía com um centavo sequer para nosso sustento. Gastava todo o dinheiro da aposentadoria com cachaça, jogo e as amantes. Mas, quando aparecia na nossa casa, resolvia pagar a conta de telefone ou comprar dois quilos de goma. De repente, então, tinha certeza que era o dono das ligações, das tapiocas, dono da casa, da família e de nós três.

Até que não me tratava mal. Estava sempre na linha entre a indiferença e o entretenimento, algumas vezes me trazendo chicletes quando voltava do bar, outras vezes me usando para agredir mainha. Dizia que eu era uma menina órfã, sem família, e que eu tinha a cara de qualquer um. Isso também me atingia, não só porque eu era protetora de mainha, mas porque queria saber de quem era a minha cara. Com quem eu me parecia. De onde vinha o meu cabelo castanho e crespo, minha pele amarelada, meus olhos grandes. Tudo tão diferente de mainha.

Não sei se ele se sentia mal depois, porque, no fim das contas, mainha já estava acostumada com esses abusos, mas eu ainda aprendia a me conformar com a violência. O que acontecia é que depois de situações como essa ele trazia pastéis para mim, um de carne e um de queijo, ou bolacha recheada, ou, quando o carrinho de picolé passava, me dizia para escolher o que eu quisesse, e apesar de aceitar, porque eu era uma criança querendo viver a normalidade, eram raras as vezes em que conseguia superar o fastio causado pelo rancor que eu nutria com minha tristeza.

Apenas de uma coisa eu realmente gostava. O apelido que ele me deu, Amadinha. Um apelido muito melhor do que eu.

Mas é difícil amar quem machuca o resto do mundo. O carinho recebido tem uma cara que é tão marcante quanto falsa.

Vó quase nunca brigava com ele, quase nunca discutia, passava por uma transformação radical quando ele estava em casa. Desde a lavagem da bunda até cozinhar todos os dias. Queria agradar. Deixava a casa o dobro de limpa e cheirosa, refazendo tudo o que eu já tinha arrumado. Parecia uma personagem de desenho animado, os olhos rodando espirais, hipnotizada pela presença do marido diabético, hipertenso, com a perna inchada, o bafo podre, a cara áspera, os dentes amarelos, alguns faltando. O marido tão puro bagaço que meu choque já não era que se comportasse como um raparigueiro, mas que existissem raparigas dispostas.

Naquele dia, o do retorno, quando mainha chegou do trabalho vô Jorge estava na cadeira de balanço, a cadeira dele, que ficava na cozinha. Viu mainha e riu com as gengivas inchadas.

— Pia só quem chegou, Marlene.

A risada saiu com uma tosse de cigarro entupindo a goela.

— Tava na rua, sua quenga? Isso é hora? Quer parir outra filha que vai sair com a cara de qualquer um?

Escutei isso por descuido dos adultos que não prestavam atenção em mim.

Ele não era nada além de um cachaceiro que só dava trabalho, prejuízo, vergonha, foi o que pensei. Apesar de saber o quanto mainha ficava abatida, eu ainda preferia que ela sustentasse a casa e que vô Jorge nunca mais voltasse. Porque quando ele estava, a vida dela se revirava em algo muito pior.

No sábado seguinte, que era dia de levar as encomendas das clientes de costura, mainha se abaixou atrás do balcão da cozinha para comer, acocorada com a lateral do corpo servindo de suporte para seu peso. Tinha nas mãos um prato com buchada.

Eu me escondi atrás da fresta da porta da cozinha e vi que seu choro salgava a comida. Que ela tentava encontrar algo, olhando em todas as direções, talvez me procurando para disfarçar e não me deixar assistir àquela cena. Mas, copiando seu rosto, meus músculos se contraíram e meu choro também chegou.

Queria entrar na cozinha e gritar por vó. Gritar em objeção a vó. Por que ela deixava que aquilo acontecesse? O que era pior, que aquele tipo de tormento continuasse desde que mainha era bebê ou o fato de que vó foi completamente omissa durante todos aqueles anos? Minha família era queimada pelas letras do silêncio. Mesmo assim, eu queria levantar uma briga. Desconfiava que vó sabia, que gostava de saber, e que gostaria ainda mais de assistir.

Eu, por outro lado, nunca fui diminuída por vô Jorge, ele nunca demonstrou o desejo de me ver morta de fome, e me deixava assistir *Disney CRUJ* até quando em outro canal estava passando alguma coisa que ele gostava. Eu tirava proveito, porque eram tão raros os momentos de descanso, quase inexistentes as oportunidades de fazer algo que eu queria. Em vez de viver na sombra dos adultos, eu agarrava aquelas fendas no tempo mesmo que precisasse fingir um sorriso e dizer obrigada, vô Jorge, vô Jorge, obrigada.

Não sei como ele começou a gostar de mim. Se fui uma criança muito dada aos outros, que fazia os primeiros contatos e não desistia da resposta até que a tivesse, fosse boa ou ruim, ou se fiz algo que ele achou engraçado ou bonitinho. Me parecia que, na maioria das vezes, ele conseguia me distanciar o suficiente de mainha, esquecendo um pouco que eu tinha uma ligação de sangue com ela, porque nossos cabelos, os meus e os dele, eram muito mais parecidos, ainda que os cabelos dele fossem curtos e grisalhos, e porque minha pele não tinha aquele tom marrom, que era o mesmo tom de vó. Minha palidez, parecida com a dele, também era um motivo para encontrar em mim a possibilidade do afeto.

Num daqueles dias que se passavam sem datas, vô Jorge resolveu jogar roupas fora. Foi ao varal, tirou as roupas estendidas, que eram em sua maioria de mainha, enfiou tudo num saco preto de lixo e saiu. Na hora, não relacionei o saco gordo a isso, mas quando fui ao quintal para recolher as roupas secas que eu deveria engomar, entendi.

Mainha não ficou tão nervosa quanto eu imaginei. Começou a morder os cantos da boca e as bochechas e um pouquinho de sangue se acumulou. O gosto devia ser forte, mas é bem possível que fosse essa a graça de mastigar o próprio corpo. Sentir o sabor das feridas.

Quando vó percebia a boca machucada, ficava com cara de bicho e liberava seus xingamentos bem planejados. Não suportava ver mainha machucada nem triste, mas não porque, como eu, se preocupava. E sim porque o penar de mainha a pegava de surpresa e virava uma ofensa, como se posasse de vítima, vó dizia.

No dia das roupas jogadas no lixo, mainha, com a boca toda pinicada, chamou vó até o quintal, que ficava longe da cozinha, e foi a primeira e única vez que vi uma pequena demonstração de revolta. Queria saber como vó conseguia continuar com aquele homem, assim, direta com as palavras. E eu percebi que também me perguntava isso, só não tinha articulado com minhas próprias frases.

Vó respondeu cochichando.

— Tu não tem marido e acha que eu vou jogar o meu fora?

Senti muita vergonha por ter escutado aquilo. Pela boca de vó, mainha era tanto quenga quanto rapariga, significava que ela não tinha um macho que trocasse seu sobrenome.

Esse era um assunto entocado, bem escondido, sobre o qual nenhuma de nós falava com honestidade. Mainha só me disse, quando eu era bem pequena, que meu pai tinha sumido. Em minha cabeça infantil, a explicação era sempre dada por um fenômeno mágico, uma força impossível de vencer. Já maior, entendi que ele apenas tinha ido embora. Eu era uma menina abandonada pelo pai, meu pai não me quis, não se esforçou nem para fingir, nem para ser um pai ausente que só me encontraria duas vezes ao mês, ou ainda um pai cruel como vô Jorge. Ele só decidiu que eu não existiria em sua vida.

— Pelo menos te dei pai. Essa menina tá jogada.

Apontou para mim com a mão enrugada e depois para o rosto de mainha. Então se aproximou tremendo, mas a voz não falhava. Disse que marido é coisa sagrada, casamento é coisa sagrada, é a vontade da Virgem Maria, que as esposas sejam pacientes, que aceitem sua missão. E ela não julgaria nenhuma das amantes de vô Jorge, porque como ela, suportavam suas provações.

Curioso que eles fossem tão semelhantes, meus avós. Uma fraternidade de caráter em sua única sintonia. Ela também sabia ser generosa com outras pessoas, mas não com a própria filha.

Não sei muito bem como funcionava o sistema de alimentação mútua, mas a dinâmica dos dois parecia ser manobrada em harmonia impecável para que vô Jorge descontasse sua raiva de se achar corno, e em seguida vó descontasse sua raiva de ser chamada de traidora. No caso de vó, a raiva não podia respingar no marido, então caía maciça sobre a cabeça de mainha. Mas mainha não parecia descontar nada em mim.

Ela nunca respondia, pelo menos não na minha frente, mas eu lia seu semblante de tristeza comprida, dessas que duram muitos dias. E essa tristeza é a que considero mais honesta. Não vai embora, só sai de vista um pouco, e isso não pode ser chamado de ausência. A tristeza está lá e você sente sua sombra amarrada ao tornozelo.

A questão é que dessa vez vô Jorge passou menos tempo com a gente. Foi embora numa segunda-feira.

Eu voltei mais cedo da escola, a professora de geografia estava doente, e, como eu não tinha pressa, fui caminhando para casa bem devagar. Desmanchava com pena a trança que

Jéssica tinha feito no meu cabelo, como se cada mecha solta fosse uma pequena ingratidão. Eu me sentia só e a cidade estava quente como o desespero, tempo de romaria, toda aquela gente reunida para pedir seus próprios milagres ao Padre Cícero.

Quando cheguei em casa, um silêncio denso ocupava todos os cômodos. A televisão estava desligada, nenhuma música de padre tocando, nem mesmo o barulho de água borbulhando ou sequer o motor da geladeira. Tudo parado, segurando o fôlego.

Do corredor, podia ver o quarto de vó. A porta arreganhada, como que de propósito. Na cama, vó estava deitada de barriga para cima, o rosto apagado, os olhos de plástico. Pensei que estivesse morta e tapei a boca com as mãos. Então vô Jorge apareceu ao lado dela, com uma peixeira na mão. Não ameaçou com a voz, não gritou, não fez nenhum gesto brusco que indicasse um golpe. Se manteve de pé, olhando para vó de forma muito concentrada. Era horrível. Pior porque, para vó, parecia algo familiar. Algo a que ela sabia bem como reagir. Talvez não se mexesse porque sabia como esperar.

Foi impossível dar qualquer significado para aquela cena, eu não tinha imaginação suficiente. Então fui para a rua, ainda com farda, com a mochila nas costas, pensando que a igreja da Matriz seria um bom destino. Não sabia se tinha missa ou qualquer atividade que fosse, mas o ambiente da igreja, mesmo que com poucos fiéis rezando em bancos espaçados, seria melhor do que aquela casa com sua aparência oca e o cheiro de álcool feito neblina.

Uma multidão se arrastava pelas ruas, as calçadas estavam incaminháveis, mas minha disposição era maior do que a falta de paciência. Ignorei os chapéus de palha tapando minha visão, as paradas repentinas que os romeiros faziam para dar atenção aos gritos das batentistas. Aquela fuga tinha a carga do inesperado, coisa que eu nunca praticava.

Desci a São Pedro do lado oposto à loja que mainha trabalhava, só para garantir. E não demorou tanto assim, mesmo com a rua lotada, para que eu chegasse na Matriz.

Não estava vazia. Muitos romeiros rezavam, outros faziam papel de turistas, observando todos os detalhes e estátuas. E então reconheci o padre Antônio Bezerra em pé ao lado do altar. Ele também me viu e abanou a mão de um jeito que não entendi se era oi ou venha aqui. Mas eu fui.

Antes que eu abrisse a boca, já estava me contando.

— Dona Marlene saiu daqui faz meia horinha, quarenta minutos.

— Não quero voltar pra casa.

Do nada.

— Não quero, não quero ficar sozinha lá.

Estar só, naquele momento, significava outra coisa.

E aí o padre fez uma cara de decepção tão bem-feita que eu me senti triste por ele.

— Seu avô não está mais? Dona Marlene me disse que ele voltou. Que Deus tenha misericórdia.

4

Sempre gostei das barracas montadas em época de romaria. Pequenas tendinhas que vendem todo tipo de coisa. Bijuterias, terços, rosários, estátuas do Padre Cícero, até umas que brilham no escuro, e bonecos do Batman, do Homem-Aranha, isso tudo.

Apesar de gostar dos brinquedos baratos da romaria, um discman era o que eu mais queria. Várias das minhas colegas da escola já tinham os seus, mas eu não conseguia reunir a menor coragem de pedir um à mainha. Talvez ela tivesse notado a quantidade daquele negócio se multiplicando por aí, quem sabe uma colega de trabalho tivesse um, então se ela encontrasse condições, eu não duvidava nada que me surpreenderia.

Ao mesmo tempo, era possível que ela não percebesse nada de especial entre as coisas da moda. Mainha vivia tão ocupada, sempre com cara de quem vai gritar a qualquer instante, mas nunca grita. Engole, faz descer pela garganta e morar na barriga. Depois reclama de dor no estômago. Porque já estava treinada para deixar queimar o interior com as reticências e jamais expulsar o que seria inconveniente para os outros.

Mainha era dessas pessoas que não gostam de incomodar e nem sabem dizer não. Aprendi com ela o significado de desfeita. Aprendi que a quem se ama se dá tudo e não se pede nada. Nunca soube de mainha pedindo qualquer coisa a alguém.

Pensando nisso, fiquei andando de um lado para outro entre as barracas, porque eu também, como ela, não era de pedidos. Mas olhei ao redor, me afundei entre todas aquelas pessoas, lembrei de mainha comendo escondida na cozinha e comecei a chorar.

Primeiro o choro veio cabreiro, como aquele que podia transformar a comida de mainha em sopa. E percebendo a quantidade e rapidez das minhas lágrimas, comecei a chorar ainda mais porque estava chorando. Então o choro abandonou a discrição e veio com força. Eu tinha pena de mim, de mainha, de vó. Chorava porque minhas roupas eram todas feitas por mainha e não compradas, e ela costurava muito bem, sim, mas quantas vezes quis vestir, quando era menor, a roupa da personagem com cabeção de morango e o tamanco da Tiazinha. Eu queria ser mais parecida com Jéssica. Com as meninas da rua que não brincavam mais com bonecas recheadas de algodão, mas se davam os braços e riam juntas. E eu já nem sabia pelo que mais chorava, ou se os brinquedos e tamancos eram os motores das minhas máquinas de água, mas chorava tão alto que logo as pessoas começaram a me perguntar se eu estava perdida.

Como eu só chorava, sem responder nada, me levaram para a igreja. De novo, o padre Antônio Bezerra me viu e arregalou os olhos. Veio saber o que tinha acontecido, disse aos romeiros que me conhecia, não estava perdida.

— Ela é bem sabida.

Em seguida falou um Deus Abençoe de qualquer jeito para as quatro pessoas que me levaram até lá e pediram a bênção.

O padre esperou que eu me acalmasse, trouxe garapa, sentou ao meu lado. Nenhum romeiro tentou interromper, todo mundo só me olhava com gastura, um pouco de catarro escorria do meu nariz, isso sempre acontecia. E eu não consegui explicar ao padre Antônio por que eu estava daquele jeito, eu só disse uma única frase, de novo e de novo.

— Não quero ir pra casa.

De tão desequilibrada que era minha família, ele insistiu para entender a gravidade do problema. Eu não queria ir para casa, tudo bem, mas uma hora isso tem que mudar, porque é lá que está a cama, a mãe, a avó e também aquele quintal gostoso de passar o tempo, com aquele pé de ciriguela bem crescido, né?

Me senti como uma criança muito mais nova ouvindo o jeito que o padre falava comigo. Era como se ele tentasse explicar algo muito além de minha capacidade cognitiva. Mas não reclamaria do padre, muito menos para ele próprio, então limpei o rosto, sequei a cara com a camisa da escola e pedi que ele me levasse de volta.

Os olhos de pálpebras caídas me analisando.

Me senti até mal porque a igreja estava lotada de romeiros e eles gostariam de ter a presença do padre. Mas também senti um tipo fraco de alívio, não de quem pensa que o problema vai ser resolvido, mas um alívio de quem tirou o problema de dentro.

Subimos a rua São Pedro de mãos dadas, atingidos por centenas de olhares. E naquele momento achei engraçado o padre também ter atravessado a rua para o outro lado da calçada, evitando a loja onde mainha trabalhava.

Quando chegamos, vó estava assistindo televisão e não tinha sequer uma ruga de preocupação. Só levantou num pinote quando percebeu que o padre Antônio Bezerra estava comigo.

— Que que aconteceu? Essa menina fez arte?

O padre a tranquilizou explicando que só me trouxe depois que passei um tempo na igreja. Eu não sabia que padre podia mentir. Mas logo aprendi que a palavra *mentira* é absolvida pelo medo.

— Mas eu também queria saber se está tudo bem.

— Alguém disse que não tá?

— É que Amanda chegou tão aflita na Matriz.

Vó me encarou por alguns segundos, aumentando o desconforto de todos.

O padre olhou para o chão, levantou as sobrancelhas e bem devagarzinho fez um sinal negativo com a cabeça. Não sei se tentando disfarçar a comunicação ou se falando consigo mesmo.

— O que essa menina inventou, padre Antônio?

— A senhora está bem?

— Ótima, sem nenhum motivo pra ninguém se meter na minha vida.

— Não estou me metendo, dona Marlene, mas conheço a senhora antes mesmo dessa pequena aqui nascer.

Ela não reagiu, não era de dar corda. Não contaria nada, a cara estava limpa e sem linhas. Outra vez parecia uma boneca de articulações duras.

— Se a senhora precisar de ajuda, pode contar comigo e com a comunidade.

Vó caminhou devagar até a porta, sem deixar que o padre Antônio Bezerra concluísse sua oferenda de amizade, abriu e disse que ele podia ir embora. Não teve mas senhora, me ouça, Deus sabe de todas as coisas, ligue para a polícia que desse jeito. Ela não queria conversa.

— Vou até pensar se volto de novo praquela igreja.

O padre saiu aperreado, tive certeza de que ele estava arrependido. A culpa era minha, não tinha que ficar de leriado, ou chorar, beber garapa, falar besteira sobre não voltar para casa. E vó concordava comigo. Tanto que desprezou minha presença e sentou de novo para assistir televisão. Percebi que estava na cadeira de balanço de vô Jorge, e depois que troquei de roupa notei que não tinha mais ninguém em casa.

Ainda revendo a peixeira na memória saída dos olhos, quis saber onde ele estava.

— É de sua conta, menina?

O meu choro de mais cedo era tão pequeno ao lado de uma notícia tão boa. O discman não valia nada perto disso.

Mas mainha não pareceu tão aliviada quando contei a novidade. Foi comer na mesa, descascou duas bananas de vez e observou o comportamento de vó por um tempo. Como se quisesse dizer alguma coisa, lambia os lábios sem parar e mordia a boca com força, arrancando um pedacinho de carne e deixando um pequeno buraquinho muito vermelho. Quis experimentar e mordi minha boca também. A coragem de chegar à vida da carne não veio. Talvez mainha comesse as beiradas discretas do próprio corpo para não falar aquilo que dali não passava. Se, ao contrário, era pena, como eu também sentia pena, talvez fosse a prioridade de ter pena de si própria. Nosso sofrimento deve mesmo ser cuidado antes do sofrimento dos outros.

Mas não acho que vó tentou cuidar de sua dor. Xingou mainha e tacou o pano de prato em sua cara, mandando que lavasse a panela de pressão. Agiu como se vô Jorge estivesse fora de casa desde muito antes, desde a primeira vez em que botou as solas dos sapatos na rua para encontrar outra mulher.

As semanas seguintes pareciam o mesmo pesadelo repartido em ordens diferentes, mas conservando seu miolo. Espritada como a mulesta, vó me obrigou a repetir a mesma limpeza muitas vezes e me chantageou para que eu fizesse almoço e janta. Todos os dias, chegava da escola e cozinhava para nós duas, mesmo que ela estivesse ainda cheia e arrotando os restos da noite anterior.

Eu precisava da escuta de Jéssica. A postura de quem se interessa pelas palavras. De quem nunca interrompe para comparar desgraças. Precisava, mas entraram semanas de isolamento. Eu não conseguia sequer meia hora para visitar Jéssica no quarteirão ao lado, não podia demorar mais do que cinco minutos depois da aula para conversar com ela, tinha medo do que vó poderia fazer se implicasse com nossa amizade, medo de que Jéssica fosse tomada de mim, então aceitei o que as adultas esperavam, o rodo, a tábua de cortar carne, a bucha fazendo bolhas. A vida de sempre esburacada por períodos de solidão.

Minha única distração era subir no pé de ciriguela. Jéssica me chamava para conversar na calçada, e minhas desculpas para não ir, eu sabia, nem sempre soavam tão verdadeiras. Ainda que fossem. Vó não deixava, mainha nunca estava, eu não podia.

Numa terça-feira depois da aula, o cinto de couro me esperava. Nas mãos de vó, o cinto de vô Jorge era um pedaço de maldição sussurrando que ele voltaria ao mesmo tempo que esfregava na cara de vó sua ausência.

Vó tomou posse daquele grande absurdo e, procurando em quem jogar as recordações, me escolheu.

Nessa terça, o que motivou a vontade de me bater foi o sumiço de dois reais. Tentei negar, mas vó não queria a verdade, queria a justificativa. E eu gostaria muito de ter dois reais para comprar merenda na escola, só que mainha morreria de desgosto caso eu roubasse qualquer centavo que fosse, ainda mais de vó. Eu jamais decepcionaria mainha.

Como boa culpada disponível e sozinha, não tinha quem me protegesse da conhecida frase que me encontrou.

— Se aquieta e aceita o castigo, ou eu conto pra sua mãe.

Nas primeiras vezes, tive a sensação de que mainha não acreditaria em vó. Que ela perguntaria a minha versão da história e que levaria minha palavra a sério. Mas calei porque percebia a distração de mainha quando ela voltava. Era um dia inteiro dividido entre esfregar um velho pelancudo e vender marmotas baratas. Não perderia tempo com duas versões do mesmo caso que contava só com saliva para que parasse de pé.

Depois da ameaça, vó estralou o cinto nas minhas pernas. Oito, nove, dez lapadas. Chicoteou minha bunda com a ponta pesada que terminava com a fivela dourada. Achou que o couro era pouco e tirou um cipó verde do pé de fruta. O cipó machucou mais do que o cinto.

Outras três vezes, não nesse dia, vó me deixou ajoelhada em caroços de milho. Antes, eu ouvia essa coisa de ajoelhar no milho e não levava a sério, pensava que essa ameaça constante prestes a cair sobre as crianças era apenas um ditado popular. Como o velho do saco, o boi da cara preta e todos os outros símbolos do poder dos adultos.

Até o dia em que aconteceu comigo pela primeira vez, pela segunda, terceira. E o lugar escolhido por vó era sempre a sala, onde ficava a porta direto para a rua, a porta que tinha uma janelinha sempre aberta e qualquer pessoa podia só curiar e me ver naquela situação.

Ajoelhada de frente para a parede, nem mesmo tinha certeza se alguém me via. Era uma forma de machucar meu corpo, mas a ferida criava casca direto na minha mente, onde minhas vergonhas se buliam. Naquela posição, eu não era insignificante, mas o contrário, era cheia de significados. E vó sabia quando parar. Deixava o tempo exato para que eu me recuperasse e conseguisse me aprumar e fingir pelos dias seguintes, quando minhas pernas estariam cobertas pela farda.

Vó quase nunca batia em dias de quinta ou sexta. De segunda a quarta quase sempre dava tempo para que os vermelhos melhorassem até a chegada do sábado. Quando eu não teria a farda para disfarçar.

Mesmo assim, tantas vezes os machucados continuavam visíveis e na madrugada de sexta para sábado eu já vestia a calça da escola.

Mainha me perguntou o motivo apenas uma vez, ao que respondi que achava gostosinha a sensação da malha que não me arrochava. Ela insistiu, perguntou se meus vestidos eram assim tão desconfortáveis, mas depois o assunto morreu. Se eu mesma lavava minhas roupas, era problema meu sujar qualquer peça sem necessidade.

Depois de apanhar, eu fazia de tudo para que mainha nunca descobrisse. Sempre tinha como plano alternativo acusar algum colega da escola e depois implorar para que ela não fosse conversar com o diretor, senão a situação poderia ficar pior.

Eu não pensava muito bem nos meus planos. Contava com aquela postura de mainha, aquele jeito difícil de ler, para que ela não chegasse aos lugares que nem eu mesma sabia como frequentar.

E pelas pisas que eu levava, pelos cipós nos cambitos, milhos nos joelhos, pelas peixeiras brilhando no quarto escuro, por tudo o que sempre fez de minha vida uma espécie de maratona para o inferno, pensar naquele velho bem longe, em nunca mais ver vô Jorge, era mesmo como encontrar um milagre no meio do trajeto.

5

Era uma terça-feira e eu já escutava vó grunhir por três horas. Ladainhas pingando lágrimas por conta da morte de mainha. Dois meses depois, nada arrancava seu corpo do estado de luto.

Quando o telefone tocou, eu estava descansando no sofá, me abanando com um folheto cheio de promoções de geladeiras e camas tubulares. Atendi e algum dos amigos manguaças de vô Jorge comunicou, com a voz tremendo, não sei se de choque ou de cana, que ele estava morto. Caído na praça da Prefeitura, dentro do buraco que arrodeava a bola azul de onde jorrava água.

Não lembro de ter me despedido ou agradecido, só lembro de ter entrado no quarto escuro quase gritando vô Jorge morreu, vô Jorge morreu.

Vó me olhou de um jeito engraçado, como um cachorro confuso que inclina a cabeça para o lado, e tive vontade de rir. Eu estava sentindo uma variedade de coisas, mas levando em consideração a intensidade e a dominância da cor laranja que eu via na minha frente, só posso classificar aquele sentimento como alegria.

Nem fui atrás de saber. Fiquei em casa com a tarefa de esvaziar o balde que vó usava como penico e só me preocupei com o enguio que viria. Enquanto isso, vó estava na praça, em público, exibida diante de todos os olhos, sem banho, com seu coque foló e roupas vestidas de qualquer jeito, esperando que viessem recolher o corpo.

Tudo foi resolvido, o funeral aconteceu, eu não compareci, e assim se enterrou o maldito sem que quatro pessoas lamentassem o fato. Ele estava sumido por tantos meses que sua morte foi apenas mais um longo desaparecimento.

6

Acordei com o barulho de móveis arranhando as paredes do corredor. Algo pesado foi empurrado e acertou a porta da cozinha, alguma coisa de madeira caiu, talvez um tamborete. Ouvi por algum tempo a movimentação, que acontecia devagar mas não parava.

Me senti tonta. Acordei com toda aquela zuada no quartinho do quintal e meu corpo respondeu da forma mais equivocada possível, achando que estava na vida de antes, que era domingo e que mainha trabalhava em suas encomendas. O estômago soltou ácido e o refluxo subiu. A boca se encheu e fiquei segurando a vontade de cuspir. Meu corpo parecia desprogramado, produzindo líquidos que enchiam meus órgãos. Queria me afogar na confusão do susto com a saudade.

Fui ver o que vó tanto fazia e encontrei o quintal cheio das coisas que ficavam no quartinho de costura. Nas costas de vó, a cadeira que mainha usava para sentar e costurar. Calada, cheguei mais perto e parei diante da porta do quartinho, era a primeira vez que aquela porta abria desde que mainha tinha morrido. Quando me aproximei, vi que estava quase vazio. Sobravam a estante de linhas e um baú onde ficavam retalhos de todos os tipos e que serviam como amostras.

— Vó, o que tá acontecendo?

— Eu tô mexendo tudo de lugar. Agora a máquina vai pra sala.

— Vai vender, vó? Não vende não.

— Não vou vender, vou costurar.

Não sabia que vó costurava. Desde que nasci e tomei consciência de gente, nunca tinha visto vó costurar um zíper ou fechar um furo. Achava que nem enfiar a linha na agulha ela sabia. Era mais fácil eu costurar um vestido de noiva do que enxergar vó na posição de costureira. Todos aqueles anos e ela nem uma vez sequer ofereceu ajuda. Para carregar aquele cachaceiro pelas ruas de Juazeiro o coração dela estava excelente, mas para sentar e tomar conta de uma agulha seguindo em linha reta, aí qualquer coisinha podia fazer morrer.

— E a senhora sabe costurar?

— Oxe, menina. É claro.

— E o quartinho, vai ficar todo vazio?

— Vai virar um quarto de reza.

Por que a gente não podia continuar rezando na cama, antes de dormir, ou quando muito de frente para a mesinha da sala, onde ficavam a Bíblia e pelo menos seis esculturas diferentes dos vários nomes de Maria? Era assim em toda casa, por que a gente tinha que bagunçar o sentimento todo, desmontar o único canto que ainda tinha aquele cheiro familiar?

— Vó, o que a senhora tá fazendo?

Precisei insistir. Tinha que insistir.

— Amanda, tenha nervo que eu conto. Me ajude a arribar isso aqui.

Ela queria mover a mesa com a máquina para o canto da sala, logo abaixo da janela de madeira que sempre ficava fechada. Imaginei se vó costuraria ali debaixo com a janela aberta, para mostrar aos passantes que fazia serviços de costura. Imaginei quando aquela janela tinha sido aberta pela primeira vez, se tinha sido na época do Padre Cícero, se aquela casa era antiga o suficiente. Me dei conta de que nunca tinha visto a janela aberta deixando um pouco de luz entrar na sala, não sabia como ficava, nem o quanto da rua podia ser visto.

— Sua mãe falou comigo, Amanda, e eu tô seguindo o que ela falou.

Larguei meu lado da mesa e o pé de ferro quase espragatou meus dedos. Mainha? A minha que estava morta?

Vó parou por alguns segundos e disse que tudo era recado do céu, que mainha tinha virado santa, que o quartinho agora tinha outro propósito. Eu estava num tipo de choque, tentando acreditar não no que ela estava falando, não ainda, mas tentando acreditar que aquelas palavras existiram em som e articulação. Não achava possível uma pessoa morta entrar em contato assim. Mas se entrou, por que com vó, que nem dela gostava?

Senti os braços formigarem e joguei meu corpo sentado perto da máquina de costura. Seria possível?

Vó estava ariada entre tesouras e novelos quando o padre Antônio Bezerra encostou o rosto na janelinha da porta e gritou ô de casa. Era tempo de eventos da igreja e vó sempre fez questão de se envolver, mas como não se envolveu, e a última vez em que se viram foi preocupante, sua ausência, imaginei, foi o alarme que fez o padre arrastar a batina da Matriz até lá em casa.

Vó parecia esquecida da última vez em que viu o padre. Não lembrava que tinha praticamente expulsado o pobre. Respondeu bem, estava corada, com a aparência saudável, falando direito, agindo melhor do que qualquer outra vez que me lembre.

— Padre Antônio, a bênção, padre. O senhor quer um café?

Ele analisou vó em silêncio. Prestou atenção em seus olhos. Dava para notar a euforia e aquela agonia mexendo em caixas e empurrando os sofás.

— Está de mudança?

— Não, não, isso é coisa besta, padre. É pra renovar um pouco, e eu quero voltar a costurar.

Torci a boca num bico de impaciência e mordisquei o pedaço mais gordinho de dentro. Não era só isso.

— Ah, a senhora vai voltar a costurar. Que bom saber disso. É por lazer, por trabalho?

— O senhor sabe que tô recebendo pensão pela morte de Jorge, né? A costura vai ser uma ajuda. Tem a escola de Amanda pra pagar.

Engasguei, tossi, cocei minha testa, meus olhos se encheram de água, não de choro, de ardência, limpei o suor da nuca, abri a boca para falar e a voz saiu tremida.

— E também vó disse que tem conversado com mainha. Mainha que disse pra mexer em tudo, parece.

O padre Antônio enrugou o rosto inteiro. Nem tinha idade para tantas linhas.

— Não entendi, Amanda.

Eu também queria compreender.

— A senhora tem falado com mainha, né, vó? A senhora me disse.

Vó abandonou uma caixa de bordados no canto da sala. De costas para nós, demorou a se virar. Apertou os grampos no cabelo e se aproximou do padre. Tudo foi um longo suspiro.

— Acho que ela entendeu errado, padre. Criança se impressiona com as coisas, o senhor sabe.

Ela tinha dito, sim, que conversou com mainha. O que custava explicar? Não era algo extraordinário, que devia ser compartilhado com o padre? Me senti perturbada pela confusão. Insisti.

— Pois, vó, a senhora me disse que mainha virou santa.

Só então pensei no quanto apanharia por ter falado aquilo.

O padre levantou as sobrancelhas. Não estava nervoso, mais parecia prevenido. Perguntou primeiro se vó estava falando sério e ela fugiu um pouco da pergunta, só respondeu que considerava mainha uma santa devido ao modo como viveu e como morreu. Padre Antônio repetiu os pêsames que nos deu no funeral e disse que, sendo assim, uma coisa do coração, não fazia mal algum. Mas se a questão era outra, o melhor conselho que poderia dar é que pensasse sobre sua relação com a Igreja, não esquecer que é blasfêmia adorar qualquer pessoa como se fosse uma santa e que até santos como o Padre Cícero passam por um processo longo e custoso até a canonização se concretizar.

— Santidade é algo muito grande, dona Marlene, por mais que Fabiana fosse uma moça dedicada, muito boa, eu sei.

Vó não discutiu. Acho que ela teve a mesma sensação que eu, alguma coisa mostrando de forma muito clara que o padre não deixaria aquele assunto quieto na casa, que ele cavucaria até a última mão de barro. E não adiantava jogar respostas vagas, ele pegava tudo no ar, tanto que até para as poucas palavras que escaparam compôs um sermão. Eu queria que ele continuasse, assim poderíamos entender juntos, mas vó escolheu a fuga dos adultos, a desculpa de que as crianças são assim, e ninguém leva uma criança tão a sério.

Mudez e constrangimento tomaram posse da sala. O padre Antônio Bezerra talvez esperasse o café oferecido no início da conversa. Eu talvez esperasse que ele interviesse de alguma forma. Vó talvez esperasse que ele fosse burro o suficiente para acreditar na parte mais fácil da explicação, a da saudade.

Quando ele foi embora, tive certeza dos tapas e milhos, mas vó nem gritou. Disse que não seria difícil de entender, na verdade era muito simples e direto, eu só tinha que ter cuidado, porque era coisa nossa.

A promessa de partilha me comoveu.

Então ela sentou num dos sofás apertados contra a parede e me contou que enquanto estava vivendo aquele luto intenso, chorando todas as noites, começou a receber sonhos enviados pelos céus. Mainha aparecia vestida como santa, com um manto azul-claro que reluzia tanto quanto o da Virgem Maria, e tinha o rosto sereno e descansado. Num deles, mainha explicou para vó que toda aquela culpa precisava de perdão, e que a única forma de ser perdoada estava no esforço para manter uma vida decente e modesta. Em outro, falou sobre mim, sobre como vó deveria me proteger para que eu não fizesse escolhas ruins, porque eu devia ser pura. Nos dias que seguiram, vó recebeu fragmentos de normas, regras a serem seguidas, instruções de como buscar esse perdão e uma reza pequena a ser repetida todos os dias, especialmente aos domingos, quando aconteceria uma preparação, tudo regido por vó.

Eu quis saber como era a reza, quais eram as regras. Mas tudo tinha um tempo certo para ser revelado, foi o que escutei. Paciência e cuidado com o que era nosso.

Minha vontade era de soterrar vó de tanta pergunta. Mas não esperava que ela tivesse todo esse carinho em me poupar depois de eu ter tentado enfiar o padre numa questão tão íntima de família. No lugar do cipó, uma possibilidade de vida diferente. A questão era que eu não esperava que mainha descesse por entre as nuvens e falasse com a gente, nem que os sonhos de vó fossem longe. Mas poucos dias depois o quartinho estava todo montado. Um oratório bem centralizado, uma mesinha estreita logo abaixo, uma toalha branca rendada, duas velas brancas de cada lado e um vasinho de flores falsas com gotas de cola quente imitando orvalho. Como coroação do sagrado, a estátua encomendada chegou e foi coberta com um tecido de cetim azul.

Assim, com esses poucos ornamentos, o cômodo não me parecia tão pequeno quanto nos dias em que eu fazia companhia para mainha. Era um quadrado que aceitaria, sem muitos problemas, uma cama de casal e um guarda-roupa. Talvez só o telhado fosse muito baixo e, como não era forrado, ficava mais vulnerável aos insetos e ratos. Mas ali não tinha esconderijo para praga.

Depois que a estátua já estava no oratório, bem coberta pelo pano, vó me ordenou limpar a casa e cuidar das minhas tarefas. Ela passaria o restante do dia escrevendo as palavras que mainha tinha presenteado por sonho. Eu estava curiosa para saber mais, mas preferi não aperrear. Queria me manter distante e preparada para meu papel, qualquer que fosse ele.

Só no dia seguinte nos vimos de novo. Vó estava com olheiras escuras e o cabelo espichado. Os cachos caíam por cima dos olhos.

Apesar do semblante de cansaço, ela parecia muito feliz. Tirou a xícara de minha mão e saiu me puxando pelo braço.

— Venha ver sua mãe, Amanda.

Ela foi andando na frente, virando a cada dois segundos para garantir que eu seguia o caminho, desatenta para sua mão áspera que apertava meu cotovelo. Eu me senti como uma criança sendo ludibriada, mas ao mesmo tempo tomada pelo terror de encontrar mainha, depois de morta, dentro de casa.

Quando chegamos no quartinho e vó puxou o cetim, eu tentei me afastar, e no susto caí sentada. Era idêntica. O rosto não tinha defeitos, o nariz estava como na foto, os olhos pequenos, seus contornos. O manto parecia uma roupa natural para ela. As mãos viradas para cima, os olhos talhados na direção reta, sem timidez. Era a estátua com o rosto de mainha. Depois de sua morte, mainha virou mesmo santa.

7

Um marceneiro veio retirar a porta do banheiro, o único banheiro de casa. Quando mexeu nas dobradiças e removeu a pequena porta já muito antiga e cheia de marcas descascadas, magotes de cupins e formigas escaparam dos buracos e correram pelas paredes. Vó entrou em desespero e disse que isso era mau agouro, que a casa precisava ser purificada e que mainha nos ajudaria, já que foi ela, santa, que ordenou que a porta fosse removida.

O homem saiu antes que vó terminasse de repetir e repetir a mesma coisa, mas no caminho do banheiro até a calçada se benzeu algumas vezes, beijando os dedos sujos de pó.

Depois, vó se desfez da televisão, do som, de um rádio de pilhas que vô Jorge gostava de escutar quando era vivo, de colunas e colunas de livros e revistas, algumas vhs antigas, e não demorei para perceber o padrão. Se livrar de tudo que fosse distração.

Também passou pela casa removendo tudo que era vermelho. Roupas, toalha de mesa com estampa natalina, uma bacia de misturar massa de bolo, um lápis, uma toalhinha de rosto, uma bisnaga de hidratante corporal, a garrafa térmica onde despejávamos o café todas as manhãs.

Parecia uma galinha desorientada. Não sabia onde parar quieta para ciscar, corria de um cômodo para outro, abrindo os armários e revirando roupas, muitas das suas foram embora, e derrubando as panelas no chão, procurando uma leiteira vermelha que já não era usada fazia bastante tempo. Não deixou sobrar nada, foram horas de catação de piolho. Aos poucos, sentada na mesa de jantar, eu via e ouvia o resultado dessa cisma, dessa obsessão, e refletia. Como viveria naquela casa por tanto tempo sem uma televisão que me acolhesse ao final do dia, como varreria o chão sem ouvir a rádio tocar.

No rastro do hidratante vermelho que entrou na lista de banidos, vó jogou fora nossos perfumes, o único brilho labial que eu tinha, que era transparente, e outros produtos que, no seu entendimento, só serviam para alimentar a vaidade e nos levar para caminhos impuros. Descartou quase tudo, até meu desodorante e as duas embalagens de absorvente que eu tinha reservadas para os próximos meses.

Vó disse que seria melhor usar pequenos paninhos que ela costuraria, que essa era a forma modesta, e me ensinaria como viver com certas restrições. E que assim eu não ficaria tão cheia de mim, tão segura e confortável, o que me faria ter mais humildade. Enquanto ouvia, rasgava as carninhas duras dos meus dedos. Era como tornar mais vazia, e oca, e murcha, uma menina de doze anos que já se sentia cheia de buracos.

Pensei estar moca, sem entender direito o que saía daquela boca meio mole para o lado esquerdo. Uma jumenta, uma burra empacada no meio da rua, que não sabe o que fazer, ou que fica sem direção por ter muito ao redor, incapaz de ligar o significado das palavras que se juntavam, sem a menor condição de compreender português. Eu entendia a estética dos cupins e formigas, entendia a lógica de não assistir a coisas que não são aprovadas por seus valores, entendia muito, até mesmo a fixação contra vermelho, mas chegou num ponto em que só consegui pôr a cabeça entre as mãos, tapando os ouvidos. O corpo inteiro pedindo licença para escapar tristeza, e eu de olhos fechados, sentindo em perigo as minhas camadas ainda malformadas, como se fosse menino ainda muito pequeno que se debate deitado de barriga para cima e não tem quem o desvire para que não morra afogado no próprio golfo.

Vó também pendurou um rosário em cada cômodo da casa. Usou os armadores de rede para isso, e quando ventava eles balançavam de leve, raspando as continhas coloridas no reboco branco. Também espalhou três cópias do mesmo quadro que exibia um versículo bíblico sobre mulheres virtuosas. Um na sala, para que as clientes entrassem e vissem, outro na cozinha, para que eu me lembrasse dele todo o tempo, e um no quartinho de reza, na parede oposta à do oratório com mainha. Eu não conhecia aquela passagem. Agora, pois, minha filha, não temas; tudo quanto disseste te farei, pois toda cidade do meu povo sabe que és mulher virtuosa. Seria uma mensagem para mainha? Ou seria sobre mulheres, todas, que conseguem esse título de virtuosidade? Me perguntei como elas seriam. Não vestiriam vermelho, não escutariam música e nem veriam jornais? Com a pele seca e os cotovelos acinzentados?

Eu, que já estava oca, desmoronei quando vó apareceu na sala de jantar abanando minha Susi.

Me joguei no chão puxando sua saia e implorando para que ela não tirasse aquela boneca de mim, porque era uma das poucas coisas que me restaram de mainha. Aquela boneca foi a única vez em que mainha me deu um presente com direção, dizendo que a Susi deveria ser minha inspiração para me tornar veterinária. Aquela boneca, com a qual eu já não brincava, não me encantava apenas pela aparência que eu gostaria de copiar ou pelas roupinhas que eu queria muito vestir. Ela apontava meu destino.

A minha resposta extrema não causou comoção. A Susi tinha que ir embora. Suas roupas eram imorais, a camiseta com o short, brincar com aquilo não era saudável para a mente, não era bom que uma garota de doze anos desejasse ser como aquela boneca e eu não teria tempo para brincadeiras, ela falou mesmo depois que repeti centenas de vezes que não brincava mais, só guardava. Eu não brinco, vó, é só pra lembrar de mainha, vó, por favor, eu juro que eu não brinco, eu já não brincava faz tempo, vó, por favor.

A partir desse dia eu teria que me dedicar à mainha.

Eu queria me dedicar, eu conseguia enxergar mainha como uma mulher santa. Toda aquela coisa sobre ter passado por dificuldades, amado mesmo quem a odiava, cuidado de quem a machucava, sua morte trágica que frustrou o empenho em buscar uma vida melhor. Injustiçada, humilhada. Sempre pensei desse jeito, não era difícil adicionar o título de santa, não era difícil olhar para aquela estátua e pensar na palavra *santidade* ou na palavra *redenção*. Era uma história forte. Tanto sofrimento. Eu queria me dedicar, mas para isso eu tinha que jogar fora o desodorante e os absorventes? Pingar sangue na roupa e ter bacias cheias de calcinhas manchadas para esfregar no tanque?

No fim do dia, com o corpo desfeito de tanto chorar, quis estar com Jéssica. Que suas risadas preenchessem todas as perfurações em mim. Porque ela tinha interesse pelas circunstâncias que formavam histórias. E sabia como abraçar de um jeito que me lembrava o carinho do remédio para catarro acumulado nos pulmões.

E foi essa a coisa boa que vó me ofereceu sem saber, a companhia de Jéssica.

Não julgo que como uma forma de compensar tudo que virou lixo, porque ela afirmava que essa era a coisa correta a se fazer, não existia arrependimento, mas como parte de um plano para me ensinar disciplina. Vó buscava uma forma de se sentir mais próxima de mainha e também queria que eu sentisse essa proximidade. Então me matriculou num curso de corte e costura, dizendo ser mais do que o ideal, já que eu poderia praticar em casa ajudando com as encomendas.

Jéssica fazia um curso de modelagem de roupas no mesmo lugar. Era até engraçado, de vez em quando, ensaiar o sonho que teríamos um negócio juntas, que ela desenharia as roupas e eu executaria a visão. Jéssica era essa pessoa para mim. Alguém que me ajudava a abandonar o presente.

Nós nos conhecemos na segunda série do ensino fundamental. Eu estava na mesma escola desde a alfabetização, e Jéssica chegou como novata. Sentou na carteira vaga ao meu lado, o que foi uma grande presepada, porque ela não sabia que aquela carteira já tinha dona, Luana, e tive que insistir muito para que Luana abrisse mão do lugar. Precisei pedir com aquela voz fininha e as mãos num deixa, Luana, deixa, que fez boa parte da sala rir.

Mas minha disposição em ser chacota foi confortada pelo destino que se marcou a partir dali. Que sorte a minha ter sido a primeira colega acolhedora, porque Jéssica seria facilmente roubada de mim por qualquer outra menina mais interessante. Se não perdi a posição, foi escolha dela. Esse foi um sentimento bom, ser escolhida.

Em pouco tempo engatamos conversas que nunca terminavam, risadas, trocas de material e descobrimos, como se a vida estivesse envolvida na nossa história, que morávamos na mesma rua. A casa de Jéssica ficava numa esquina no quarteirão da esquerda, só precisava atravessar e caminhar um pouco. Então foi natural nossas brincadeiras se moverem também para a casa dela. Seus pais eram pessoas que me pareciam bastante triviais. Não passavam o dia gritando, Jéssica não precisava fazer limpeza ou cozinhar, ela tinha a vida normal dos filhos de adultos, suas coisas preferidas eram retiradas como castigo, mas não apanhava. Eu gostaria de ser esse tipo de criatura indefesa, um tipo que tem muito a perder, mas as coisas só vão embora aos pouquinhos, e elas fingem que nunca mais vão voltar, mas depois os adultos deixam que voltem. Por isso também eu me sentia confortável na casa de Jéssica, eu nunca tinha sido uma das coisas afastadas pelo tempo do castigo, e dessa forma me tornei contínua.

Eu amava passar as tardes de sábado com Jéssica, brincando com os brinquedos dela, que eram tantos, e, alguns anos mais tarde, escutando juntas as músicas de que gostávamos. Eu era apaixonada pelo Rouge e ela pela Britney Spears. Jéssica tinha os CDs, pôster na parede e sabia dançar todas as coreografias das suas músicas favoritas. Era até uma prova de amizade como tentava me ensinar a dançar, mesmo que o ritmo nunca me encontrasse direito. O que eu sabia fazer bem era cantar, aprendia as músicas inteiras, ainda que eu não soubesse falar inglês. Jéssica me pedia para cantar "Everytime" e eu imitava um pouco a voz da Britney só para ela dar risada. Com ela, eu conseguia sentir que era boa em algo.

Prestando atenção, eu até poderia ser considerada talentosa em algumas coisas e talvez minha personalidade não fosse um borrão completamente imóvel, mas, entre outras pessoas, minha figura minguava e eu não conseguia ser nada além de invisível.

Em algum momento dos meus primeiros anos, fui convencida de que deveria encolher e passei a aceitar afeição como esmola.

Jéssica se tornou meu escudo. Porque era minha melhor amiga, algumas etapas de frustração foram puladas. Melhor ser invisível do que alvo, eu sempre repetia para mim mesma, lutando para aceitar meu lugar no mundo. Especialmente à medida que fomos crescendo e saindo da infância. Mas era um afogo isso de querer não ser quem se é.

Uma sexta-feira por mês, a coordenação da escola nos dava permissão para esquecer a farda em casa e trocar por nossas roupas normais. E não existia nada que me fizesse sentir mais desencaixada do que uma sexta após outra. Quase todas as minhas colegas abandonaram definitivamente os vestidos de menina e agora usavam calças jeans de garota. E saias curtas. Jéssica era uma delas, sempre com uma calça jeans de cintura muito baixa, mostrando o umbigo fundinho. Não na escola, porque era proibido, mas em todos os outros lugares. Eu era obcecada por calças jeans, queria ganhar uma mais do que qualquer outro presente, mas mainha não gastava atenção com coisas que viram moda. Para ela, roupas deviam ser atemporais. Ela não queria sair numa foto e dez anos depois se ver ridícula usando uma trepeça que todo mundo usou só porque estava todo mundo usando. A calça de cintura baixa e boca larga era um desses tipos de arrependimentos futuros. Também tinha a coisa do dinheiro. Por que compraria roupas para mim se ela podia usar os melhores tecidos para costurar com suas próprias mãos?

O problema é que mainha não costurava para mim vestidos nem da moda, nem do presente, nem do nosso tempo, nem atemporais. Tinha na cabeça um molde padrão que era o limbo dos vestidos. Era isso que eu usava. Todos de tamanho médio, tocando meus joelhos, feitos de tecidos grossos que me faziam passar um calor moído, com bicos nas pontas, especialmente um modelo de bico com pequenas flores e uns buraquinhos. Eu parecia uma criança de filme de terror, daquelas que vestem camisolões e vagam pelas escadas.

Minhas cores eram tão apáticas. Bege, branco, rosa-claro. Nunca ganhei um vestido laranja, nunca ganhei um vestido de tecido levinho costurado com a malha que se mexe fluida durante os meses mais quentes do Cariri. Eram todos diferentes uns dos outros, sim, e mainha costurava muito bem, mas eu queria ser como Jéssica. Ter a barriga de Jéssica, a cintura fina, os cabelos pesados tocando as costas, as presilhas de borboletinhas que ela espalhava nas tranças. Queria o brilho labial em formato de morango que fazia de sua boca coisa com cheiro de comer.

8

Coloquei a mesinha de cortar os tecidos no quartinho dos fundos e vó trouxe duas cadeiras da sala de jantar. Com pratos cheios de salpicão e peru, sentamos ao lado da estátua de mainha. Era nosso primeiro Natal comemorado de boa vontade, como família.

Eu não sabia o que falar, estava amarrada pelo respeito que sentia por aquela estátua. Tentando manter a postura correta e a voz afundada dentro de mim. Não tinha coragem nem de tossir. Que horrível seria se eu engasgasse e sujasse aquele quarto com ar sagrado. Comia com movimentos enferrujados, pensando o tempo todo que ali estava mainha, ali estava a estátua perfeita que transmitia um sentimento de serenidade inalterável.

A ceia foi boa, não brigamos, vó estava de muito bom humor. Tanto que elogiou mais de três vezes a comida que preparei. Nós duas gostávamos do salpicão bem cheio de maçãs e uvas-passas, eu tinha desenvolvido um carinho especial pela mistura do doce com salgado porque não esquecia das bananas que mainha botava em seu prato e engolia na mesma colherada junto do feijão.

Mais cedo, enquanto eu esperava o peru ficar pronto, escutei vó cantarolando alguma das músicas que costumava ouvir antes de mainha morrer. Como ela poderia ter esquecido da regra sobre não cantar aquele tipo de música? Mas, na verdade, vó estava só menos pesada. Por algumas horas, o cheiro da comida sendo feita, os planos de jantar junto de mainha, tudo contribuía para que as nuvens escuras se espalhassem, e eu também me senti mais leve. Por algumas horas, eu não achei tão sofrido ficar de pé sem ter um segundo sequer para aliviar as dores nas pernas, não questionei o fato de preparar sozinha toda a comida, não me importei em fazer sentido das coisas. Imaginando como seria a noite, por algumas horas nada precisava de razão de ser. E então chegou a ceia de Natal.

Do lado de fora, os grilos cantavam sobre o sorriso de vó. Reparei nos seus dentes, amarelados pelo muito café. Não queria ser uma velha como ela. Queria ser a versão de mim que não transformaria os momentos tranquilos em apertados espaços entre as perturbações da vida. Reparei nos pedaços de comida entre os dentes de vó e nos lóbulos furados de suas orelhas, diferentes das minhas, sem furos. Tentei prestar atenção nas histórias que ela desembestou a contar. O Natal no sítio, os perus que matavam com as próprias mãos, as penas escaldadas e os fatos sendo agarrados e puxados. Ela descrevia sua felicidade de garota, tão destoante de como eu imaginava a minha própria felicidade, e meu peito doía um pouco, porque eu não conseguia enxergar uma felicidade simples. Tudo o que eu sabia fazer era observar a brevidade daquela noite, como se a paz estivesse sentada junto de nós, mas seu prato já estivesse vazio e ela, a paz, limpasse as mãos na saia se aprontando para levantar e sair.

Aos poucos, os sorrisos também foram se retirando do quartinho. Não me despedi, porque eu não sabia falar a língua daqueles sorrisos. Deixei que fossem, apenas se fossem, e comi até o último caroço de arroz do Natal que preparei.

Depois da ceia, vó me ordenou tomar banho. Eu já estava, de certa forma, acostumada a fazer isso de porta aberta. Todos os dias, tinha que tomar três banhos enquanto rezava Santa

Mãe, Santa Filha, e não podia demorar mais do que dez minutos. Essa regra era desconfortável, mas não era impossível de seguir. Eu dava as costas para o buraco que antes era a porta de madeira e me banhava. Só podia usar sabão de coco, tanto para o corpo e o rosto quanto para o cabelo. Já tinha pegado abuso do cheiro do sabão, mas, como tantas outras coisas, estava mais do que conformada, me sentia até muito convencida. Vó dizia que era errado reclamar da vida, que nossa vida era boa e devíamos agradecer o esforço de mainha e todas as intervenções generosas que ela fez para que aquele conforto nos alcançasse. Quando ela falava assim, eu tentava puxar mais o fio do assunto, queria saber se entre essas intervenções estaria a morte de vô Jorge. Não acreditava que mainha fosse capaz disso, mesmo que no mundo dos santos ela pudesse enxergar o coração das pessoas. Talvez o coração de vô Jorge fosse muito pior do que o de vó. Não doente, mas apodrecido.

Saí do banheiro enrolada na toalha e voltei ao quartinho. A mesa e as cadeiras estavam afastadas para um dos cantos do cômodo, distantes do altar. Vó se posicionou atrás de mim, tirou minha toalha, deixou que caísse no chão e tocou no meu ombro para que eu ajoelhasse.

Eu já tinha certo treino com a posição do castigo, mas, nesse caso, meus joelhos serviam como provas de fé. Eu me mantinha firme na posição, sentindo meu espírito contrito, como se mainha puxasse de meu corpo uma linha de arrependimentos desconhecidos por mim. Tive vontade de chorar, mas não um choro de tristeza ou de desespero. Era um choro que apenas as coisas muito lindas provocam. Nunca deixava de me impressionar pelo trabalho do artesão, sua atenção aos detalhes. Talvez tivesse abraçado a afirmação de que mainha era mesmo santa. Muito afeto precisava existir para que uma arte como aquela pudesse ser executada.

Quando vó desenhou a linha na minha testa e empurrou de leve os dedos nos cantos do meu rosto, fechei os olhos e tracei as linhas por todas as outras partes do meu corpo. Tinha um pouco de vergonha de minha nudez. Mas esse era o gesto que me abençoava, que purificava, que protegia meu corpo do mal, da impureza, da sujeira. Eu queria que mainha, santa, olhasse por mim a todo instante, sem nunca parar, sem nunca desistir de mim, sem nunca ignorar minhas angústias, e que tivesse orgulho do que encontraria quando voltasse sua atenção para meus pensamentos encantados. Que bonita era a certeza de que eu não estava sozinha.

Com a boca cheia de Santa Mãe, Santa Filha, terminamos todas as etapas que eu tinha que seguir até vó dizer que eu podia me vestir. Olhei para a estátua e, por dentro, comedida como os lábios que mainha costumava encostar na minha testa, agradeci.

Como a reza estava acabada, vó me levou para seu quarto. Ela me entregou um embrulho num papel de presente azul-claro. Era um presente especial, pensado por mainha, ensinado por mainha, executado por mainha usando as mãos de vó e a máquina de costura como ferramentas.

— Veja que bonito.

Confusa pelo sentimento novo de ser presenteada por vó, rasguei o papel, conhecendo a roupa que se tornaria carne de minha carne.

— Você vai usar esses dois vestidos todo dia, Amanda, só eles.

— Só eles? E as outras roupas?

— Não se preocupe com isso. É desejo de sua mãe.

Os vestidos eram feitos de um tecido áspero e duro que não se adaptava ao corpo. Eram mais folgados do que precisavam ser, mas eram da cor favorita de mainha. Tom de céu em tarde sem nuvem. Limpo, o azul que é o mesmo azul em todos os espaços do céu, a visão que é alento nos dias mais quentes.

— Tem mais presente, olha aqui.

Não estavam embrulhadas, mas guardadas na mesma caixa. Duas currulepes de couro. Não do estilo colorido que os turistas gostam de comprar, nem sequer uma imitação, mas um modelo tradicional, possível que o primeiro modelo criado. Marrom, largas, com tiras grossas de couro. E a partir daquela noite do dia vinte e quatro de dezembro do ano em que mainha morreu, aquelas duas currulepes seriam meus únicos calçados.

Vó não esperou que eu agradecesse, levantou rápido e foi até meu guarda-roupa. Tirou tudo o que estava lá dentro, todos os meus vestidos brancos e rosados, minhas duas sandálias bonitinhas e meu tênis da escola.

— Mas, vó, o que eu vou usar pra escola? Até a farda a senhora tá levando.

Ela respondeu com bastante calma.

— Vai usar o que eu te dei hoje, é assim que sua mãe, santa, quer.

— Vó, mas a senhora, vó, a senhora sabe que a escola não vai deixar?

Expliquei que eu só podia deixar a farda em casa uma vez por mês, que nunca me permitiriam ser a única aluna sem a farda completa.

— Ano que vem você vai pra outra escola.

Ela saiu e eu apertei minha cara com as unhas, espremendo meu rosto num grito silenciado. O coração dela não podia se assustar. Fui dormir com a desconsolação entalada.

Acordei cedo, fiz o café, lavei os pratos da ceia, guardei as panelas já areadas e fui para o quintal lavar as roupas de vó e as de cama. Enquanto estendia as roupas limpas no varal, um soim desceu da árvore e ficou parado ao meu lado, me olhando e torcendo a cabeça.

Sempre fui encantada por aqueles macaquinhos. Já que eles eram frequentes no quintal, muitas vezes pedi um para mainha. Pedia que ela pegasse um daqueles que vinham nos visitar. Ela explicava que eles não eram muito bons de criar em casa e podiam ter doenças, então, além de abandonar meu sonho de ter um soim só meu, também passei a ter medo quando eles apareciam para comer ciriguelas. Seus dentinhos pontudos, apesar de estarem dentro de uma boca pequena, pareciam bem capazes de fazer um estrago danado.

Aquele que desceu estava bastante calmo. Assistia curioso ao movimento de minhas mãos torcendo os panos molhados e acompanhava a água caindo de volta na bacia.

Tentei espantar o bichinho fazendo barulho e batendo o pé, mas ele não saiu do lugar. Que engraçado uma coisinha daquele tamanho não ter medo de um ser humano tão maior. Era muita ousadia, eu gostei daquela personalidade.

— Vem cá, menino.

Estiquei a mão, abandonando a prudência. Nem sabia se era um macho mesmo.

Como ele não se moveu, peguei uma ciriguela que estava caída na terra, de tão madura, e me abaixei para oferecer a fruta. Ele deu passinhos rápidos e tomou a ciriguela de minha mão. Dei risada e ele saiu pulando pelos galhos e muros.

Quando baixei a vista para voltar aos panos molhados, notei que a chave do quartinho de reza estava na fechadura. Pensei por um tempo se deveria entrar sozinha. Ainda não tinha tomado o banho, nem rezado a primeira vez do dia, mas fazia sentido que eu pudesse entrar a qualquer momento e falar com mainha. Se ela me queria perto tanto quanto eu desejava o mesmo, se ela se preocupava comigo, e se mainha se transformou em estátua, em santa, seria normal me receber do jeito que eu era, com o coração do jeito que eu tinha, todo saudade, todo disposição. Vó talvez não concordasse, talvez me ordenasse primeiro para o banho, mas mainha não rejeitaria minha urgência, eu tinha certeza. Acreditando que estava tudo bem, destranquei a porta e deixei as currulepes do lado de fora.

As velas estavam apagadas e o cetim protegia a estátua da poeira. Me aproximei como se ao meu redor existissem dezenas de garrafas de vidro espalhadas e muito tato fosse necessário para o chão onde eu pisava. Quanto mais perto de mainha chegava, mais meu estômago fazia barulhos altos. Senti cólicas, pontadas fortes como se estivesse no primeiro dia de menstruação. A última dor aguda parou depois que descobri a estátua e vi seu semblante acolhedor.

Me botei de joelhos, mais emocionada do que sabia que ficaria. Supliquei para entender o que estava acontecendo. Pedi me prepara para o que a senhora quer pra mim, me ajuda a ver do mesmo jeito, a aceitar, eu quero seguir, quero honrar cada detalhe do que a senhora desejou pra mim, eu quero, mainha, santa, eu preciso de ajuda. Repeti e repeti, até que ouvi o barulho da porta do quarto de vó abrindo. Me despedi de mainha, agradecendo pela escuta.

— Santa Mãe, Santa Filha. Eu te amo, mainha.

Fechei a porta e voltei para o trabalho.

9

Usar somente vestidos azuis.

Calçar somente sandálias de couro marrom.

Não cortar o cabelo.

Manter o cabelo preso.

Tomar três banhos por dia. Manhã, tarde e noite.

É proibido ouvir música.

É proibido assistir televisão e filmes.

É proibido ter contato com qualquer tipo de material impróprio.

É proibido tocar em si mesma de maneira imprópria.

É proibido ser tocada por rapazes de maneira imprópria.

É proibido ter amigos meninos, rapazes ou homens.

É proibido tocar meninos, rapazes ou homens de maneira imprópria.

É obrigatório praticar a reza de domingo.

É obrigatório seguir todas as etapas da Purificação.

É obrigatório rezar todos os dias. Durante os banhos, ao acordar e antes de dormir.

As etapas da Purificação devem ser iniciadas com o banho.

Somente o sabão de coco é permitido.

Os cabelos sempre devem ser lavados primeiro.

O banho não deve durar mais do que dez minutos, para que não haja contato impróprio com o corpo.

A porta do banheiro deve ser mantida aberta, para evitar atitudes impróprias.

Após o banho, se vestir e se calçar.

No domingo de reza, seguir a ordem: tomar banho, tirar a toalha, ajoelhar diante do oratório, repetir a reza.

Ao fim da reza se vestir e se calçar.

Essas doutrinas se aplicam à minha filha Amanda.

É obrigação de minha mãe Marlene cuidar para que as doutrinas sejam respeitadas e seguidas.

As lágrimas molharam a gola do meu vestido. Meu corpo falava, mas eu não conseguia nomear as sensações. Não era medo, ou talvez fosse. Um pouco de confusão, mas as regras eram diretas e claras. Tudo era muito prático, sem teorias longas e parábolas para interpretar. Eu entendia como a busca por pureza se relacionava com usar roupas modestas, manter o cabelo preso, não agir de modo impróprio. Também conseguia compreender que há muitos rituais nas religiões e que cada santo pede práticas de devoção diferentes. Se existe quem deixe um santo de cabeça para baixo, pode existir quem toma banho enquanto reza.

Uma lógica simples. Um papel que eu tinha que cumprir.

Dessa vez, junto com a formalização, minha obrigação era jejuar por sete dias. Como prova de meu comprometimento e de meu desejo de seguir tudo o que mainha nos comunicasse, eu devia sacrificar o meu corpo, que não podia ser alimentado de nenhum modo. Apenas teria a permissão para beber água, mas não podia encontrar Jéssica e a presença no quartinho dos fundos devia ser constante. Minha obrigação era equilibrar as exigências espirituais com a limpeza da casa.

Vó também estava participando do jejum. Acostumada a comer muitas vezes ao dia, repetir o almoço e levantar de madrugada para pegar restos da janta na geladeira, o primeiro dia de jejum já era muito difícil.

Para mim, o pior foi o choque, o início, porque eu não estava preparada, nem sequer sabia que entraríamos numa prática tão rigorosa, fui comunicada apenas na manhã do primeiro dia, quando saí do meu quarto e vó estava parada ao lado da porta.

Seu rosto era cinza, opaco, rígido como concreto, e vó falava de um jeito formal, usando palavras que eu nunca tinha ouvido e não entendi. De tudo o que disse, como se estivesse recitando um texto do século catorze, fui capaz de entender que ela recebeu mais um sonho e que a estátua de mainha chorava. Gotas caíam sobre a mesinha, molhando as flores de plástico. De repente, as gotas ficaram maiores e mais pesadas, derrubaram as velas e a mesa que servia de altar quebrou. Quando vó olhou de novo para o rosto de mainha gravado na madeira envernizada, a estátua ganhou carne, ossos e pele. Era mainha outra vez. Estava num lugar que parecia ser o Paraíso, cercada por penas que se mexiam como asas. Na sua cabeça, contrastando com seus cabelos pretos, uma coroa de brilho prateado, toda cheia de pedras brancas. Falou que queria uma prova de nosso amor e de nossa fé. Disse que todos os santos recebem jejuns espontâneos, mas ela tinha que pedir, e isso era nossa falha, nossa culpa. Vó abriu os olhos e se jogou no chão, a testa encostada nos azulejos frios, os braços esticados como se esperasse a passagem de mainha pelo caminho. Pediu perdão, prometeu um jejum de uma semana, o sonho já estava acabado e ela falava sozinha dentro do quarto vazio.

Qualquer pessoa se abalaria ao ver o estado físico e emocional de vó. Seu corpo estava curvado para a frente, a pele quase rachada, esquálida, transpirando como se carregasse um grande peso na cacunda aparente. Falava sem parar, repetia certas palavras, culpa, coroa, asas, culpa, erro, alimento, culpa,

culpa. Eu tentava resgatar sua lucidez, ou pelo menos testar a existência de alguma lucidez, mas vó só parou quando quis, ou quando conseguiu.

O tempo todo me chamava para falar sobre o jejum. Repetia que estava com fome, só para declarar como era bom estar com fome. Era bom estar com fome.

Eu não achava, meu estômago doía. Não sei como não desmaiei. Debaixo do sol quente, eu tinha que esfregar o chão áspero do quintal e fazer muita força com os braços para bater as colchas no tanque. Tentava me concentrar na atividade da vez, usando todo meu foco num objeto, como no sabão em barra que eu usava para lavar, ou nas cerdas da vassoura, ou ainda no pano de chão que juntava fios de cabelo e tinha que ser mergulhado no balde com desinfetante de lavanda. A semana se tornou uma fixação por limpeza e eu notava as camadas muito finas de poeira que ainda estavam se juntando sobre os móveis.

Na aula de costura, me senti fraca e deitei a cabeça por alguns minutos. A professora me chamou, sugerindo que eu fosse para casa, mas pedi desculpas e murmurei que estava tudo bem. A agulha rápida, filtrada pelo meu olhar, subia e descia com muita lentidão, como se o tempo estivesse no mais profundo de um açude. Nesse dia não consegui terminar a camiseta que estava costurando e que seria doada para uma das mulheres que viviam abandonadas pelas ruas. Nosso grupo sempre doava as roupas que ficavam bem costuradas e eu me orgulhava por conseguir criar algo que fosse útil e importante para outra pessoa.

De alguma forma, o jejum também me deixou orgulhosa. Não apenas de mim, porque descobri uma obstinação viva, mas também porque esse sacrifício era dedicado à mainha. Vó, por sua vez, não me parecia tão consciente. Andava pela casa inteira tocando nos móveis com o dedo, como para conferir se estavam limpos. Sentava no chão no meio da sala, apertada entre a mesa da máquina e o sofá, escondida em sua toca acidental. Agradeci à mainha por ter impedido que clientes ou visitas batessem na porta.

Deixei que vó vivesse seu processo sem interferências. Tinha que confiar na sua força, mesmo que estivesse combatendo os desvarios da fome, porque ela era a escolhida. Ela era a ponte que ligava mainha a mim. A abençoada com sonhos.

Como eu desejava sonhar com mainha. Não qualquer sonho, eu sempre sonhava com cenas do passado ou com coisas que expressavam minha saudade. Eu queria a santa do presente, a que falaria comigo frases novas. Pensei que talvez essa dedicação intensa ao jejum pudesse me presentear com o dom.

Na noite do sétimo e último dia, vó me avisou que uma nova regra deveria ser seguida. Encolhi a barriga, temendo as palavras seguintes, e então ela rompeu meus desalinhos desenroscando a primeira lâmpada da casa, deixando a sala de jantar no escuro. Fez o mesmo em quase todos os cômodos, preservando apenas a lâmpada da sala onde costurava, e ficamos no breu total. Ainda assim, vó encontrou os sacos de velas, muitos sacos, que estavam em seu quarto.

Desse modo viveríamos. Sem eletricidade.

O fogão seria aceso com fósforo, a geladeira ficaria desligada e não comeríamos carne e outros alimentos que pedem refrigeração. Não perguntei quais eram as exceções, fiquei preocupada. O que comer? Era tudo parte do nosso amor, ela disse com um sorriso grande, tudo parte do nosso compromisso. A máquina de costura seria a única coisa elétrica funcionando. Não era eu quem recebia as regras, também não era vó quem as fazia. Mainha mandava.

Eu ouvia e obedecia.

10

Jéssica não conseguiu disfarçar o músculo de seu rosto que entrou em espasmos quando me viu daquele jeito. O vestido sem silhueta e totalmente liso, as currulepes pesadas, os quilos a menos.

Tentou me despistar passando a mão no cabelo, coçando o nariz. Ficou calada como se nada estivesse acontecendo. Até que não aguentou.

Foi a primeira vez que questionou qualquer coisa de minha aparência.

O lado direito da boca franzido quando escutava algo que não gostava, a coceira na cabeça bem de levinho. Estava tudo lá. Detalhes certeiros.

Quis saber se eu acreditava mesmo, de coração.

— Só de coração que posso acreditar.

Como justificaria para ela todas as transformações que estavam acontecendo em minha vida? Não era loucura nem delírio. Eu acreditava na santidade da mulher que fez tudo por mim. Refletindo sobre o que signifiquei para mainha, aquela interrupção que ela escolheu manter, eu não conseguia interpretar de outro modo. Mas Jéssica era indiferente aos movimentos de fé, ficava na dela, a menos que algo absurdo surgisse em sua frente. No caso, eu era o despropósito.

Ela ficou mais indignada quando lancei a notícia da transferência. Nossa escola não tinha a aprovação de vó. A farda era muito sugestiva, a diretoria não liberou os meus vestidos e tinha também o problema dos meninos que eu já conhecia e que tinham me visto crescer. Nas palavras de vó, virar moça.

Tentei me defender, disse para vó que minha única amiga era Jéssica, que ninguém nunca me deu atenção e eu não sabia dizer o nome de uma só pessoa, garota ou garoto, que tivesse demonstrado interesse por minha amizade. E isso ia muito além, porque eu não me esforcei para ter outro lugar na pirâmide escolar. Sempre morei no meio, como uma categoria de transição. Mas vó alimentou a teoria de que aqueles colegas eram os mais perigosos, não importava se eu nunca tinha falado com qualquer um deles mais do que duas palavras. Não importava se o tal perigo só podia ser ensaiado se algum deles fizesse brotar interesse por mim.

A simples existência de uma história prévia com garotos, por mais superficial e vazia, foi suficiente para dar ainda mais força à mudança de escola.

Assim que aceitaram a transferência, um tempo considerável depois do início do ano letivo, eu tive que me conformar com as poucas vezes que teria para encontrar minha única amiga. Tive também que esquecer qualquer farelo de amor-próprio que existia em mim.

A primeira coisa que notei quando cheguei ali foi que a escola nova não tinha farda. Eu não seria um ponto azul entre camisas brancas. Para tentar me esconder, escolhi a última carteira da fileira que se encostava na parede.

A escola não era tão pequena, mas tinha só uma quadra para as aulas de educação física, que eu fazia de vestido e currulepes, e para a realização de eventos. Todos os outros espaços eram corredores longos e muito claros, iluminados pela luz do dia e por lâmpadas brancas intensas. A exceção era uma parte que servia como capela, com um altar católico decorado e alguns bancos de madeira. Todo o cenário tentava imitar uma igreja, até a mudança de cor na iluminação. E pensei que este era o motivo de ter sido transferida para lá. Além de não existir regra de vestimenta na qual eu não me encaixasse, para vó aquela solenidade de um altar com um Padre Cícero e uma Virgem Maria era uma espécie de carimbo de garantia.

Para mim, mais importante era saber que a escola até podia ter sua normalidade, mas eu não. Fui para lá sabendo que não seria uma novata comum e que o problema não seria tentar me encaixar. Eu era uma garota estranha, não existia encaixe. Eu não seria recebida por alguma das alunas mais simpáticas, caso ela gostasse de minha cara, e nem por uma das garotas mais comportadas, se eu fosse identificada como da mesma espécie. Ninguém diria que eu era bem-vinda ou perguntaria minhas qualidades e minhas notas. Todas essas questões ficavam para trás. Olhares de estranhamento, microexpressões de nojo, isso seria o mais provável.

Nos primeiros dias, me mantive calada, tentando sumir no plano de fundo. Só que, como ironia, justo quando eu menos queria me destacar, ganhei símbolos inconfundíveis que me marcaram entre as centenas de outros alunos. Eu era a garota do vestido azul, a que parecia uma freirinha.

Meus novos colegas não sentiam vergonha de fazer perguntas, e muitas delas eram explícitos deboches. Eu tentava ser humilde e explicar de modo vago. Tentava descartar a invasão e o miolo ofensivo daquela curiosidade, me esforçando para me convencer de que era normal aquele estranhamento. Qualquer pessoa sentiria o mesmo. Então eu explicava e repetia incontáveis vezes para todos os alunos que me abordavam, mesmo os que não eram da minha sala.

Não, eu não era freira e nem gostaria de ser.

Sim, a roupa, a sandália, o meu cabelo, tudo tinha a ver com crença. Com promessa.

Quando soltava a palavra *promessa*, não precisava contar o que vivia. Promessa já era de casa, coisa familiar. Em Juazeiro tinha gente pagando promessa o tempo todo. Os romeiros de cada estação comemorativa, as velhinhas que se pareciam com vó, antes de ela desaparecer dos grupos que frequentava, e nas notícias da televisão. Tudo bem fazer promessa, trocar uma subida de joelhos na ladeira do Horto pela cura de uma doença. Dar nome prometido aos filhos, crianças que viravam Maria das Dores, da Graça, Aparecida, Conceição, Cícera, muitas Cíceras, e também Damianas. Eu dizia que era promessa porque a verdade não soaria bem, eu sabia. E eu não queria me entregar ao abate.

Também percebia que as pessoas, mais ou menos, tentavam respeitar a religião dos outros. Mesmo quando sabiam que alguém frequentava uma religião que a maior parte do grupo não aprovava, essa agressividade ficava sob certo controle. As pessoas não são tratadas como loucas por acreditarem. Mas essas coisas precisam de um reconhecimento coletivo.

No meu caso, eu sabia que ninguém conseguia anular a marca de minha presença. Mas mesmo quem não gostava disso, e esse desgostar era muito perceptível, não ia muito longe com brincadeiras ou agressões. Ninguém imaginava o significado do vestido azul, mas todos sempre souberam o que é uma promessa. E promessa é muito mais fácil de deixar respirar. Se meus colegas me deixassem respirar, eu estaria na melhor posição possível.

Nessa nova escola, foi fácil apontar as várias garotas bonitas e bem-vestidas como Jéssica, mas o que eu odiava mesmo era assistir ao desfile dos grupos que soltavam risadas gasguitas enquanto serpenteavam pelo pátio. Até o grupo dos crentes não quis conversar comigo. Nem mesmo para tentar me evangelizar. Minha aparência deixou muito claro que não havia espaço para conversão. Eu era um caso perdido e só Jesus para me mudar.

De tanto sofrer e lamber minhas feridas, questionei apenas duas coisas. Meus sentimentos e uma, só uma, das regras.

Eu fui obrigada, mas também quis. Eu tinha dúvidas, mas encontrava na fé algumas respostas. Não respostas que duram para sempre, e minha fé nem era tão brilhante e esperançosa, mas a imagem de mainha influenciava minhas ações. Por isso eu aceitava as mãos de vó no meu corpo que tremia, por isso não questionava o propósito de tudo que ela me apresentava.

Ainda assim, eu só queria ser comum. Normal. Sem graça.

Isso aconteceria se eu me livrasse dos vestidos e das currulepes, mas não encontrava dentro de mim a ousadia para fazer perguntas, nem sequer para pedir que, de vez em quando, eu pudesse usar um vestido como os que mainha costurava para mim. Eu mesma poderia fazer, depois de avançar bem nas aulas de costura. Mas não tinha coragem de falar com vó, apesar da permanência do incômodo.

Todos os dias eu passava pelos portões da escola com meu caderno ridículo contra o peito, abraçando aquele bloco de folhas. Mesmo assim eu continuava fraca. Com medo da próxima interação, tentando me preparar para as risadas das pessoas que viessem falar comigo. Como uma das meninas do grupinho estridente que cismou em puxar conversa e me abordou na sala assim que tocou o sinal do intervalo.

Ela chegou toda montada num sorriso quadrado que mostrava seus dentes separados e sentou na carteira da frente, o corpo se contorcendo para me olhar quase nos olhos.

Procurei em Sara qualquer traço de Jéssica, mas as duas não poderiam ser mais diferentes. Sara desembestava na conversa sem me dar espaço para responder, era do tipo desatenta e que não se importa com o que os outros têm para falar. Foi só quando percebeu que desse jeito não conseguiria entender minha história que passou a se controlar. Era visível seu esforço, acusado por sua perna direita que descia e subia sem parar.

Perguntou sobre mim, sobre o que eu gostava e fazia, quem era minha família e se eu já tinha namorado.

Comecei compartilhando o que achei inofensivo. Nunca namorei na vida, mainha morreu fazia um ano e pouco, sempre morei com vó, tenho uma melhor amiga que gosta de música, gosto de cantar, sei cozinhar bem.

— Peraí, cantar? Então canta alguma coisa pra mim aí.

O tom do pedido me incomodou. Não cantei, disse que estava com a garganta doendo.

Se Jéssica pedisse, eu cantaria. Sara não tinha apelo, só prendia meu interesse porque era a primeira vez que alguém parava para falar comigo por mais de cinco minutos. Além disso, as primeiras perguntas de Sara não foram sobre minhas roupas, ela só falou do meu cabelo. Na verdade, até gostei disso. Ela disse que era um desperdício o cabelo sempre preso.

— É bem bonito, mas você não liga, né?

— Não posso soltar, não uso nem condicionador.

Deixei escapar e não percebi.

— E não usa por quê?

— Vó não compra, não gosta.

— Ah, e só pode fazer o que sua vó gosta?

Deveria ter ficado calada, mas disse que sim. Disse que não podia ultrapassar os limites das regras da promessa.

— Mas você toma banho, né?

Ela riu.

— Eu tomo três banhos todo dia.

— Oxe, pra que isso?

— É coisa de vó. Da promessa.

— Nunca vi promessa de tomar esse tanto de banho.

— O banho não é a promessa toda, é um pedaço. Tem mais coisa.

Percebi que ela estava, como uma pinça, arrancando um detalhe de cada vez do que meus colegas queriam saber para saírem fuxicando.

Olhei para os lados e vi quatro meninas tentando disfarçar os cochichos. Estavam esperando que Sara voltasse com qualquer pedaço de bizarrice, tive certeza. Eu parecia mesmo muito besta e trouxa com aqueles vestidinhos e a cara derrubada de quem não aguenta mais estar ali. Mas pensei que pelo menos eu tinha o controle de meu silêncio.

Não respondi, parei de dar detalhes, abri o caderno.

Sara olhou para as amigas com cara de quem queria matar todas elas e se despediu de mim.

Passando as folhas cheias de letras azuis, fingi que estava revisando alguma coisa copiada da lousa. Aí ele falou comigo.

— Liga não, são assim com todo mundo, não é só você.

O nome dele era Lucas, também entrou na escola naquele ano. Já tinha reparado nele e sabia seu nome porque Sara e suas amigas imbecis riram quando viram que ele estava de chinela. Nem se comparava com minha situação, mas na hora senti um certo conforto por ver que ninguém escapava.

— Eu sei, eu que dei o vacilo de falar com ela.

— Ligue não, fale comigo.

Era bonito. Vestia uma camiseta do Icasa que já estava bastante gasta, a chinela ainda nos pés, a capa do caderno era de um surfista loiro. Não perguntou nada sobre mim. Parei para lembrar quem mais não tinha tentado se meter na minha vida e pude contar cinco ou seis pessoas, dependendo do tipo de intrometimento. Todos os outros colegas de sala me questionaram coisas de forma constrangedora, fizeram comentários sobre minha aparência, me colocaram no topo da lista de meninas mais feias da sala, escolheram *freirinha* como palavra de localização.

Ali perto da freirinha. Sabe a freirinha?

Me virei de lado na direção de Lucas e, pensando que não tinha como ficar pior, desabafei.

— Não queria usar essa roupa.

— Então não use.

— Nem tenho outra roupa que não seja um vestido igual.

— Se conseguir uma, devia usar. Se fosse eu, usava.

Se fosse ele. Mas não era.

— Não ligue pra elas não. Já vão comer o juízo da Priscila ali, tá vendo?

Não era a mesma coisa. Mas ele não agiu como os outros.

O sorriso também era bonito. Não era medíocre, tirava sempre notas altas. E devia ser pobre, pelo estado de suas roupas. Mesmo assim, ele parecia não se importar. Estava ali para estudar, e essa também era minha única motivação. Não só para suportar aquela escola, estudar era a motivação de minha vida inteira. Eu estava dando tudo de mim para seguir o primeiro direcionamento que mainha me deu, antes da reza e dos jejuns.

Essa constatação cutucou minha vontade de parecer outra pessoa. Ou de parecer mais comigo mesma, com quem eu queria ser. Mais para Jéssica do que para freirinha.

Foi uma provocação tão fraca a que Lucas fez que nem poderia ser chamada de influência, e eu não sabia que estava esperando tão pouco para enfrentar aquele decreto. Era a regra que menos fazia sentido, ou a que mais me ridicularizava.

Não tinha que ser um vestido azul todo malfeito, eu poderia evitar a vaidade com outras roupas, bastava que não rompessem algumas regras, as que me pareciam lógicas. Nunca nem tive roupas que pudessem ser consideradas inadequadas.

O que diferenciava o vestido azul do vestido bege? Ambos tinham o mesmo comprimento, um pouco abaixo dos joelhos, ambos tinham mangas, sem decotes, eram feitos de tecidos que não causavam transparência. A real diferença era a habilidade de quem costurou. Ou a boa vontade.

Pelo menos uma vez, eu queria saber como me sentiria sem aquele vestido azul na escola, na frente de centenas de adolescentes que me botavam na posição de doida. Queria testar, atiçar o que poderia ser azar ou sorte. Queria. Não considerava ser arriscado o simples ato de vestir outra coisa. Estava cansada, não conseguia identificar essa regra como algo que mainha desejaria. Ela nunca tinha costurado para mim um vestido azul.

Na manhã seguinte, peguei escondido um conjunto de blusa e saia que alguma cliente de vó ainda ia buscar. Aproveitei que vó dormia, já que não tinha mudado seu hábito de acordar bem depois de mim, e entrei nas duas peças enquanto meus pulmões se fechavam, como se eu mergulhasse.

Olhei para mim mesma no espelho pregado à porta do guarda-roupa e pendurei a mochila nas costas. Deixei na cama o meu vestido azul, mas levei nos pés as currulepes.

Na escola, minha mudança de roupa não pareceu ter grande impacto, recebi apenas olhares, como se fossem os primeiros olhares já recebidos. Talvez até quisessem me questionar se a promessa já estava cumprida, mas era dia de prova, cheguei muito cedo e lembrei disso quando já estava sentada na última carteira. Quem me notou talvez tenha reservado o interrogatório para o intervalo. Só Lucas falou comigo.

— Massa você ter achado uma roupa diferente.

Ele sorria muito fácil. Queria puxar meus lábios para cima e retribuir, nem que eu precisasse usar os dedos, mas o ambiente da escola pesava meu rosto para baixo.

— É, eu peguei das costuras de vó.

O sentimento parecia novo. Devia ser apenas o resgate de algo banal, mas não era. Até minha pele parecia ter mudado um pouco. O vermelho da blusa com manguinhas trazia minha cor para a frente, era como se eu brilhasse. Era a primeira vez que eu usava peças como aquelas. A saia ficou um pouco longa e a blusa folgada, mas eu nem prestei atenção, aquele par de roupas se grudava ao meu corpo como algo muito meu.

A professora entregou as provas para os alunos das primeiras carteiras e os papéis foram passados para trás. Eu podia até ter esquecido a data da prova, mas isso não era tão importante, eu sabia a matéria. Mais uma nota na média.

Quase todas as perguntas estavam respondidas quando vó apareceu na porta da sala, que estava aberta. Desbotada, muito pálida, respirando rápido. Os cabelos arrupiados, os óculos tronchos. Tinha de novo sua aparência de desenho animado e meus colegas riram quando ela chamou meu nome.

— Cadê Amanda?

Meu corpo congelou no meio do tempo.

Pensei em me abaixar para que ela não me visse, mas a professora apontou para mim, tentando ser prestativa.

Vó me olhou, mostrou os dentes no que poderia ser confundido com uma tentativa de simpatia e falou na frente de todos.

— Troque de roupa agora.

Nenhuma cabeça se manteve imóvel. Todos os pescoços giraram em minha direção. Lucas passou a mão na testa.

— Vó.

Foi tudo o que eu consegui dizer. Queria negar, rejeitar a ordem, desobedecer. Mas meu queixo se batia, triturando as rebeldias que me engasgavam.

— Vá trocar de roupa agora. Tome.

E jogou o vestido, que caiu no chão entre duas fileiras de carteiras, ao lado de Sara e de suas amigas, que me olhavam em choque.

Alguns continuaram me encarando, outros riram, talvez para aliviar a tensão. Até poderiam debochar de mim mais tarde, mas naquele momento eu arriscaria dizer que era pena. Uma pena sincera, dessas que sentimos quando presenciamos uma situação que não desejamos para ninguém.

Levantei e fui devagar até o vestido caído, como se contando meus passos aquele momento pudesse se dissolver na demora. Queria que fosse fantasia, pesadelo, um sonho aflito durante o cochilo em cima da prova.

Mas não era. Apanhei o vestido.

— Vá trocar.

A professora não rompeu a mudez perplexa que compartilhava em cumplicidade com os alunos.

Lucas me olhou com a cara toda apertada, será que queria me pedir desculpas?

— Vá trocar.

Chorei diante do pequeno espelho que ficava acima da pia. Era menor do que o espelho do banheiro de casa, mas naquele instante aumentava o meu rosto, meus poros, meus defeitos. Eu era obrigada a me encarar e aceitar que aquilo estava acontecendo comigo. Que eu era aquela pessoa.

Não queria voltar para a sala. Minha barriga agora tinha um fogo aceso e eu sufocava, como se a fumaça subisse pelo esôfago. Não queria sair do banheiro, mas podia ser ainda pior se vó viesse me buscar. Uma gritaria que faria todos os outros alunos, de todas as salas, saírem para entender o que estaria acontecendo. Seria pior.

No corredor, uma garota de outra turma discutia com a mãe. Não entendi o motivo da briga, mas foi impossível não comparar. Enquanto ela dizia que a mãe estava sendo muito era otária, viu, muito otária, eu era humilhada sem que ninguém interferisse.

Abatida e exibindo aquele vestido azul horroroso, achei que podia entrar na classe, mas vó disparou até minha carteira, pegou minha mochila, agarrou meu pulso e me arrastou. Deixei que me levasse, a degradação era menos cara do que a força para resistir.

11

Dez dias sem ir para a escola. Meu castigo era passar todo o tempo dentro daquela casa, sem encontrar mais ninguém, sem sair sequer para fazer as compras e pagar as contas. Responsabilidades que sempre foram minhas.

Vó também não conversava comigo, trocávamos palavras grunhidas, ela por raiva e eu por medo, e quando era noite a casa inteira se transformava em puro desalento. Se não fossem as velas, a única coisa a fazer seria dormir. Por isso eu economizava. Só acendia uma vela por vez, quando realmente precisava, e apagava logo em seguida. Usava as velas para estudar e para não bater em nada no caminho do banheiro. Lia meu livro de português de novo e de novo, aproveitava as tirinhas da Mafalda.

Como não suportava mais aquela prisão escura, pedi permissão para entrar sozinha no quartinho de reza, sempre que eu precisasse, para conversar com mainha e pedir perdão. A parte do pedir perdão eu soltei só para aumentar minhas chances. Não sei se foi isso que interferiu, mas vó deixou.

Entrei no quartinho no mesmo dia, durante a noite, e fiquei um tempo prestando atenção na estátua. Não falei com ela por mais de duas horas. Mainha entende, eu sei que mainha entende, eu repetia em pensamento sem parar, me preparando para dirigir a palavra à santa. Quando a ansiedade se tornou menos barulhenta, trouxe uma vela para perto de mim, protegendo a chama com as mãos, sentindo o calor nos meus dedos, e chamei mainha. Pedi que me perdoasse, não era minha intenção causar aquela esculhambação, eu só queria que meus colegas não mangassem de mim, que eu não fosse a coisa mais ridícula que eles conheciam, queria estudar em paz, ainda tinha o sonho que ela plantou em mim, queria ver minha amiga, e fazer amigas novas, até mesmo aquele menino, Lucas, eu poderia ser amiga dele também, eu só estava gasta pela solidão, tão no escuro, com aquela expectativa de que algo horrível aconteceria, e, perdão, mainha, eu sei que a senhora está sempre comigo e que acompanha todos os meus passos, eu não quero ser ingrata, amém.

Deitei no chão de barriga para cima e encarei as telhas. Contei tantas telhas quanto consegui e vi muitas teias de aranha. Prometi a mainha que limparia tudo no dia seguinte. Virei de lado porque achava mais confortável e o soim quase bateu a cara dele na minha. Nos olhamos, virados em pedra por alguns segundos. E eu, sem pensar no que podia acontecer, agarrei ele com as duas mãos e levei para fora do quarto. Ele correu, sentou num dos galhos mais baixos do pé de ciriguela e me encarou. Não queria que ele sentisse medo de mim, nem raiva. Fui chegando mais perto, de novo oferecendo minha mão, como muitas pessoas fazem para oferecer amizade aos cachorros.

Sentei na terra e me encostei no tronco da árvore, batendo as costas com força. Muitas ciriguelas caíram no chão. Achei que ele fosse descer e comer, porque os bichos são assim engraçados, às vezes só se atraem pelas coisas que se mexem, mas ele atravessou a árvore e veio sentar comigo. Subiu no meu colo e eu me encantei pela confiança que ele teve em mim.

Continuei no quintal por mais um tempo, dando as frutas na boca dele ou entregando em suas mãozinhas para me divertir com seus gestos rápidos. Quando ouvi a porta do quarto de vó bater, peguei o soim no colo, dessa vez devagar para que ele pudesse prever minhas próximas ações, e levei comigo para dentro de casa.

Ele curiou tudo, revirou uma pilha de panos limpos que estavam dobrados em cima de uma cadeira, se compreendeu no espelho, subiu e desceu da cama. Eu acabei caindo no sono e não sei se ele demorou para tomar essa decisão, mas, quando acordei no meio da madrugada, ele estava dormindo na cama comigo. Assim que amanheceu, entreguei meu soim de volta ao pé de ciriguela e ele foi pulando sem me dar mais atenção.

Meu castigo acabou, mas porque demorei todo esse tempo para voltar à aula depois daquela vergonha terrível, meus colegas fizeram o maior enxame e foram mais debochados do que nunca. Tiveram bastante tempo para conversar sobre aquela sessão a que assistiram. Para me poupar, passei o dia inteiro de cabeça encostada na parede, encarando a lousa e evitando trocar olhares com aquelas pessoas horríveis. Lucas estava sentado em outro lugar mais distante e eu duvidava muito que ele ainda quisesse falar comigo. As pessoas não querem se aproximar do que é louco.

Em casa, peguei meu caderno da escola, abri numa folha entre as matérias de matemática e geografia e escrevi sobre aquele dia da troca de roupa. Registrei com minha letra todos os meus pensamentos sobre aquela regra ridícula de vestido azul e currulepe de velho. Exausta, o corpo doendo. Escrevi que queria que as regras se lascassem, eu não mereço aquilo, eu não tenho que viver para esfregar, lavar e cozinhar, eu quero ter uma vida e só porque mainha morreu não significa que eu não posso viver.

As palavras fugiram de mim, derramei cada frase como se virasse uma caixa-d'água inteira de uma vez. Eu nunca tinha falado aquelas coisas. Mesmo que eu não quisesse pensar daquele jeito, mesmo que eu pensasse, será que pensava? Ainda assim, aquilo que estava escrito não era a totalidade dos meus sentimentos. Eu não queria expulsar mainha de minha vida.

Na manhã de sábado, eu estava lavando o banheiro quando vó chegou do quintal. Tinha o semblante transtornado, parecia que tinha visto uma visagem.

Ela escarrou na pia, como se extraísse a primeira camada das palavras, e me disse que teve um sonho. Outra vez mainha tinha falado por sonho. Estava rezando no quartinho da estátua quando cochilou sentada na cadeira que levou. No sonho, mainha mostrava minhas mãos sujas de lama e eu começava a escrever no chão coisas confusas. Mas, do pouco que vó conseguiu ler, identificou revolta contra mainha e suas orientações. Como castigo por pensar insolências, vó me tiraria da escola. Já estava considerando isso desde que desrespeitei o vestido azul, mas agora estava convicta.

Minha reação foi imediata. Vó, eu não posso sair da escola, vó, eu tenho que estudar, me formar, vó, entrar numa faculdade. Eu chorava e batia o rodo no box do banheiro. Batia e batia e batia e vó olhava assustada, talvez sem acreditar que eu estivesse agindo daquela forma e enfrentando um sonho dado por mainha, santa, daquele jeito.

Sentei no chão para chorar, mas ela me levantou pelos cabelos. Segurou com muita força e chacoalhou minha cabeça. Dois tapas na minha cara, um tapa atrás de minha cabeça e, quando ela se abaixou para tirar a chinela, juntei as mãos na frente do rosto, por favor, não me bate.

— Dói muito mais em mim do que em você, menina.

Não, isso não era verdade.

— E vai ficar sem aula de costura até eu deixar de novo.

O rodo ainda estava ao meu lado, caído.

Segurei pelo cabo e bati contra minha cabeça. Meu corpo não foi forte o suficiente, minha covardia interferiu, as pancadas foram leves. Então comecei a me estapear. Eu gritava e me batia na cara, no corpo, eu mesma puxava meus cabelos e chorava mais. Repetia por favor, não me bate, não bate em mim.

Vó saiu do banheiro, foi para seu quarto e me deixou sozinha com o rosto queimando. Não deu tempo de ver como estava o rosto dela.

12

Com a condição de que ela usasse roupas modestas, recebi a permissão de levar Jéssica comigo para o sítio.

Fiquei surpresa ao receber essa tolerância de vó, há tantos dias quase não nos falávamos. Fazia tempo que não me batia. De tanto me ver vagar pela casa com uma vela na mão, talvez tenha brotado uma muda de comiseração em seu peito.

Quando fui convidar Jéssica, estava preparada para ouvir que ela não iria de jeito nenhum. Com toda a raiva por vó, imaginava que Jéssica nunca aceitaria se submeter a regras que não tinham nada a ver com ela.

Mas aceitou.

Nos divertimos procurando roupas que fossem santas e imaculadas, dignas de vó. Quase tudo que a gente encontrava estava bem longe dos critérios. O short era muito curto, a blusa arrochada demais, a calça marcava a calcinha. Fazia tanto tempo que eu não ria daquele jeito. A expectativa para aquele fim de semana estava alta. Acho que para Jéssica também. Existia uma diferença entre nós duas, não para pior, também não sei dizer se para melhor, era apenas diferente. Talvez fosse a distância, o pouco que nos víamos, a saudade, a vontade de despejar todas as novidades de uma vez. Eu me sentia assim, me afogando nas coisas que precisava contar, mas ao mesmo tempo temia não ser aceita como antes.

Saímos na sexta à noite, vó no banco da frente e nós duas no banco de trás do táxi. A ida e a volta já estavam acertadas, mas desejei muito que o taxista nos desse um perdido na hora de voltar, eu estava me acabando de medo daquele carro e de como o homem dirigia. Não conseguia espantar de minha cabeça imagens de acidentes, carros com a lataria retorcida, corpos embaixo de caminhões. Muito vermelho. As luzes eram sangue piscando em minha imaginação. Foi Jéssica que me percebeu suando e me falou para deitar a cabeça em seu colo.

Por sorte, o sítio era no caminho de Mauriti e a viagem não demorou muito tempo. Fomos recebidas por tia Margarete, que nos abraçou e nos levou para ver o nosso quarto, meu e de Jéssica.

Era um quarto com banheiro próprio, duas camas de solteiro lado a lado e uma mesa com cadeira. Sem enfeites, sem outros objetos, sem janela. Eu estava tão feliz por ver um banheiro lá dentro. Pedi a Jéssica que fechasse a porta do quarto para que eu pudesse tomar banho em paz, mas não expliquei como era não estar em paz para tomar banho. Eu não disse que era obrigada a usar o banheiro com a porta aberta, sempre achei que essa informação podia ser demais para ela.

No dia seguinte, acordamos tarde e cheias de picadas de muriçoca. Tia Margarete passou repelente nos nossos braços e pernas e sugeriu que fôssemos conhecer o curral das vacas depois do almoço. Vó não gostou da ideia, o curral não era próximo, era preciso atravessar a plantação de milho. Mas não era uma plantação tão grande assim e a gente queria muito ver as vacas de perto.

Vencida pelos pedidos de Jéssica e por tia Margarete, que apelava com firmeza para que ela deixasse as meninas da cidade serem felizes, vó desistiu de nos proibir e fechou a cara. A insistência de Jéssica foi uma surpresa, ela não tinha nenhum medo das reações de vó, acho que ela queria muito estar comigo sem ninguém atrapalhando. Eu também queria.

Quando chegamos em frente ao curral, ficamos um bom tempo perto da cerca de arame farpado assistindo às vacas arrancando mato do chão. Uma delas estava grávida, a barriga e as tetas do tamanho do mundo, e um bezerrinho mamava um pouco mais adiante em sua mãe. Uma ruma de vacas e bois de várias cores diferentes. Fazia sentido que tia Margarete nos chamasse de meninas da cidade, a gente não sabia se podia passar a mão nas vacas, se era seguro abrir a portinha do curral e entrar. Então sentamos no chão, de frente para a cerca, e conversamos. Contei muito mais do que achava que contaria. Falei do dia em que vó me obrigou a trocar de roupa na frente de toda a sala de aula, disse que vivia como uma pessoa escravizada e ainda me impressionava que vó me deixasse comer, já que gostava tanto de esfregar na minha cara que ela comprava cada caroço de arroz. Não falei que vivíamos sem luz e sem geladeira. Não contei da surra, nem do sonho.

Jéssica me abraçou de lado e me deu um beijo na bochecha. Acho que não soube o que falar, ficou esfregando a mão nas minhas costas e brincando com os cachos do meu cabelo. Disse que as coisas podiam melhorar, mas não senti confiança em sua voz. Falou a coisa mais vazia porque não sabia como calar um desalento como aquele.

E eu não queria gastar todo o nosso tempo conversando sobre coisas pavorosas. Queria escutar histórias felizes, histórias de Jéssica. Pedi que me contasse qualquer coisa, a mais besta que viesse à mente.

Ela se virou para mim e aprumou a postura. Um monte de poeira subiu e mais terra se grudou às minhas pernas suadas. Jéssica usava um short jeans comprido emprestado de dona Rita que estava cheio de carrapichos. Brincando com minhas mãos, me falou sobre um parque que estava montado no estacionamento do shopping.

Lembrei da única vez em que fui a um parque de diversões, quando eu tinha cinco anos. Mainha me levou como presente de aniversário e fiquei encantada pelo carrossel. Quando vi de longe, achei que eram cavalos coloridos de verdade voando como o Cavalo de Fogo. Cantei a música de abertura do desenho e mainha bateu palmas, disse que minha voz era afinadinha e linda e comprou um algodão-doce amarelo como prêmio. Depois entramos no trem-fantasma e fiquei muito assustada no começo, mas o tempo todo mainha me abraçava e dava risada. E porque ela estava rindo, achei que também podia rir. Não demorei a notar que todos os monstros eram bonecos malfeitos, que balançavam capengas a cada parada brusca do carrinho. Mainha também me explicou que as risadas exageradas eram apenas gravações que se repetiam sem parar. Eu era a única criança pequena que não estava amedrontada ou confusa. Mainha disse que fui muito corajosa.

Onde estava a ideia infantil de que eu poderia ter coragem? Não encontrava sequer um impulso. Eu tinha medo das consequências. Era isso que me mantinha viva, o medo das consequências. O que aconteceria se eu enfrentasse todas aquelas regras, se eu dissesse não, se não permitisse que vó fizesse todas aquelas coisas? Mainha ficaria decepcionada? Ainda me amaria, mesmo que eu não tomasse três banhos por dia, com a porta aberta, e se eu falasse com garotos para combinar um trabalho em grupo? Algum dia chegaria a se comunicar comigo?

Essa é a dança da culpa. É assim que o corpo passa mensagens contraditórias. Uma delas diz que você não precisa sentir remorso, não deve tomar para si a responsabilidade do sofrimento que não causou, muito menos tem que conter suas vontades e seus desejos. Mas a outra mensagem é tão forte e tão bem preparada, a que nega tudo o que foi dito antes. Ela advoga pela vergonha.

A culpa é a tortura que puxa cada lado de seu corpo para direções opostas. E te rasga ao meio.

Jéssica não parecia se incomodar com esse tipo de problema, acho que não tinha esse tipo de problema.

Abaixei a cabeça para esconder minha expressão triste.

Jéssica levantou com calma, se equilibrando numa linha de silêncio, sacudiu os carrapichos do short e me puxou para que eu também ficasse de pé, então me abraçou. Dei um passo para trás, achando que era o fim do abraço, mas ela segurou minhas mãos e se aproximou outra vez.

— O que foi?

Ela não respondeu.

Me beijou.

Ao lado de um curral, debaixo do céu carregado de nuvens escuras, com as pernas cheias de terra e vacas mugindo perto de nós. Eu não sabia como beijar e nunca tinha imaginado que meu primeiro beijo seria com uma garota. A parte de ser uma garota até podia ser uma surpresa, mas meu primeiro beijo ser com Jéssica fazia todo sentido.

O céu fechou, trouxe as nuvens escuras iluminadas por fios magros de raios. Um primeiro relâmpago rompeu o tempo e, pela posição do sol, percebi que já estava tarde. Nem falamos nada, corremos.

A plantação de milho, afundada em terra, não era o melhor campo de corrida. A visão estava quase totalmente turva e eu não conseguia manter o ritmo com aquele vestido que prendia meus movimentos. Meus pés molhados escorregavam dentro das currulepes e caí numa pequena montanha de barro.

Jéssica veio me ajudar. Me segurou pelo braço esquerdo e sustentou meu corpo, como se fosse minha muleta, e saiu quase me arrastando, dizendo segura, não cai, a gente já vai chegar. Me senti como um pato sem conseguir encostar os pés no chão. Esse era o retrato do medo. A chuva era muito forte, não dava. Eu não conseguia enxergar, estava imunda e com as pernas doendo. Achei que ficaríamos perdidas até amanhecer, mas Jéssica conseguiu nos levar até o terreno limpo, depois até os pés de romã que ficavam atrás da casa, depois até o alpendre, onde tia Margarete tentou nos receber, mas vó tomou a frente e me agarrou pela manga do vestido.

— Fica aí, Jéssica!

Enquanto sentia meus joelhos sendo arranhados pelo chão de cimento vermelho, sem conseguir parar em pé, vó me levou aos empurrões para o quarto e me jogou para dentro do banheiro. Eu deslizei como se patinasse e caí para trás. Bati a cabeça no chão e fiquei me debatendo para tentar levantar. Vó me pôs de pé à força, cravando as unhas em meu braço. Ligou o chuveiro e gritou para que eu ficasse debaixo d'água enquanto me batia com a chinela. A água era fria e o chuveiro chiava, derramando cheiro de terra. Senti gosto de barro. Passei as mãos no rosto, esperando que elas voltassem sujas de lama, como no sonho que mainha deu para vó, mas a água era limpa. Minhas pernas já estavam muito vermelhas e eu chorava alto, totalmente esquecida da existência de tia Margarete e de Jéssica. Eu soluçava tanto, me sentindo criança pequena de novo, que não conseguia pedir que tivesse pena de mim. Ela me bateu na cara com tapas, puxou meu cabelo de tantas formas diferentes que ficou com vários fios nas mãos, depois jogou as mechas no chão do banheiro. Quando bateu no meu rosto três vezes, pontuou o intervalo entre cada pancada com um você, precisa, obedecer. Me encostou contra a parede pressionando meus ombros, que estralaram, e tive muito medo de que ela fosse quebrar meus ossos. Olhou para o chuveiro e tirou a mangueirinha de plástico. Dobrou ao meio como um chicote e então eu me despreguei do meu corpo. Me enxerguei do canto do banheiro, toda mole, tentando me manter de pé segurando no registro do chuveiro. Eu flutuava pairando ao redor do meu corpo curvado e vi o exato momento em que vó examinou as minhas pernas e parou de me bater. Não sei se por cansaço, não sei se por sentimento de satisfação, mas ela finalmente parou. Ficou muda por alguns segundos, como se pensasse no próximo passo, e me fez despencar no chão pela última vez.

Depois que ela saiu, me entreguei à dor. Me assisti deitada de lado, o vestido meio subido e os olhos inchados. Tive tanta pena de mim. Não sabia o que estava acontecendo fora do quarto, não escutava nenhuma voz, mas senti o tempo passar devagar. Jéssica demorou. Quando me viu, foi como se esperasse que minha aparência fosse aquela, não tinha expressão de espanto, não estava surpresa.

Ela me levantou pelos braços e me levou com paciência até a pia. Eu me segurei na louça branca e consegui me manter de pé.

Jéssica recolheu as mechas de cabelo do chão e jogou na lixeirinha. Ajustou o chuveiro na água morna e me perguntou se eu queria tomar banho ou só trocar de roupa.

Minhas palavras saíram repartidas pelo choro.

— Só a roupa.

Seu vestido de bolinhas rosa estava pendurado no gancho ao lado do espelho. Ela me entregou, encostou a porta e disse para chamar se precisasse. Meu fardo azul caiu no chão. Consegui trocar de roupa sem precisar de suporte e me senti grata porque o vestido tinha mangas, não queria que Jéssica percebesse que eu não podia me depilar, nem queria que ela visse meu corpo naquele estrago. Chamei seu nome e ela me levou para deitar. Juntou as camas e me ajudou a encostar a cabeça no travesseiro, me segurando para que eu não despencasse de uma vez. Se jogou ao meu lado e ofereceu o outro travesseiro, disse que pediria mais um para tia Margarete. Eu falei que não precisava, que só queria ficar em paz por um minuto que fosse, um minuto, só um.

Jéssica me deu um beijo na bochecha, cuidando para não apertar demais os lábios contra minha pele, e disse que tudo ficaria bem.

A obediência não estava na minha cabeça durante aquela surra, eu só conseguia chorar perguntando a mainha por que tia Margarete não vinha me ajudar, ou por que eu merecia aquilo. Era tão errado assim se perder num sítio quando o sol já baixou? Vó nunca disse que tínhamos que voltar antes de ser noite, mas eu achei que deveria saber.

Tive sonhos confusos. Via mainha bem longe, com a mesma roupa que usava quando me levou ao parque, e logo em seguida eu estava no quartinho dos fundos, usando a máquina de costura enquanto olhava para a estátua. A máquina fazia barulhos cada vez mais altos e o chão tremia. Os azulejos começaram a rachar, mas eu continuava usando a máquina. Quando olhei para baixo, já não existia o quartinho, só a luz de uma vela num cômodo escuro, e alguém costurava minhas mãos. Então acordei.

Tia Margarete escutou a porta do banheiro abrindo e fechando e veio conversar comigo. Ela sim tinha a cara aterrorizada e tentava justificar a surra explicando que vó era de emocional instável, prejudicado. Tia Margarete dizia o que conseguia articular como argumento. Não era o tipo de adulta que achava bem feito, era o tipo de adulta que não interrompia. Seu jeito de me confortar foi contando coisas sobre vó, relembrando vô Jorge, trazendo mainha para a situação, como se qualquer outra pessoa fosse culpada pela surra que poderia ter acabado comigo. Que, de muitas formas, acabou.

Fiquei um tempo sozinha no quarto, a memória pura carne viva, latejando com as lembranças primeiras, as mais antigas que eu tinha, de mainha dando risada, quando eu ainda era capaz de fazer mainha feliz, e de como fui perdendo, dia a dia, essa habilidade.

Com os olhos ardendo, segurando o aguaceiro que alarmava descer feito toró, saí do quarto e fui procurar Jéssica.

Ela estava no alpendre prestando atenção no mato perto da casa. Era a direção oposta ao curral e dava para enxergar um pé de juá no fim de um caminho de terra. Interrompi o silêncio, apontei para o pé de juá e sugeri que fôssemos colher algumas frutas. Fomos à cozinha pedir duas bacias à tia Margarete, que fervia leite no fogão a lenha. Ela adorou a ideia. Falou que podia usar o que colhêssemos para fazer doce.

Saímos com duas bacias e colhemos romãs e pinhas. Só não consegui ir além para encontrar mais pé de fruta, minhas pernas rangiam contra o quadril e as bolinhas do juá se perderam entre minhas dores. Mas Jéssica me fez sentir menos culpada por estragar nossos planos, disse que era melhor não se embrenhar demais entre as árvores, tinha medo de gato-do-mato.

Agradeci a mainha porque meus dentes estavam bons e firmes para sorrir.

Entregamos quase todas as frutas, ficamos apenas com duas pinhas. Tia Margarete nos disse para não comer muito, estava preparando o almoço. Então fomos balançar juntas na rede, bem coladas como num casulo, e Jéssica cochilou com as mãos cheias de sementinhas pretas.

— Não sei o que fazer com essa menina, Margarete.

Era a voz de vó.

— Ela não obedece, eu não sei criar, tô pensando em deixar ela um tempo aqui.

— Pode deixar, você sabe como gosto de conversar com Amanda, ia ser uma companhia, você sabe, mas o problema não é só ela.

— Dói mais em mim do que nela, eu bato pra educar, pra ela aprender, não virar uma drogada, uma quenga, ou me dominar, hoje em dia tem filho que bate em pai e mãe.

Tia Margarete tossiu.

— Pode parar esse assunto por enquanto, as meninas tão na rede lá fora. Depois a gente fala.

Eu não queria morar no sítio porque viveria ainda mais afastada de tudo o que tinha esperança de recuperar. A escola, as aulas de costura, a presença constante de Jéssica. Eu queria ser livre, queria que vó não existisse na minha vida.

— Amanda, o almoço.

As sementinhas caíram na rede e os pedaços das cascas de pinha acabaram esmagados quando Jéssica acordou sem entender onde estava, as pernas esticadas para fora. Deixamos a bagunça e fomos comer. Baião, carne de sol e pamonha, a gente podia repetir. A comida não fez som em nossas bocas e os pratos esmaltados foram os pretextos para que nossos olhos não se cruzassem. Enrolei meu pé esquerdo no pé direito de Jéssica e almocei tentando me manter presa ao chão.

Nosso último dia no sítio passou rápido. Acho que eu queria ir embora, apesar de desejar a presença de Jéssica. Não sei se ela queria ficar mais tempo comigo, se a pisa que levei causaria um afastamento ainda maior. Não nos beijamos outra vez, só dormimos abraçadas. Ela o tempo todo com o toque leve, talvez pensasse que me quebraria. Mas eu já me sabia fragmentada.

13

Sinto tanta vergonha pelo que você presenciou. Tantas coisas evitei te contar para que você não sentisse pena de mim, nem achasse que minha vida é uma loucura, embora seja. Eu não queria ser vista vulnerável daquele jeito, foi horrível. Eu me sinto muito mal porque você teve que cuidar de mim, mas também sinto que ninguém cuidaria de mim como você fez. Quem mais respeitaria meus machucados daquele jeito? Não tenho ninguém e hoje pensei muito nas coisas que estão acontecendo já faz algum tempo, sabe? Eu não te contei, mas vó cancelou minhas aulas de costura. Continuo proibida de sair. Só tenho paz quando ela vai fazer a feira. Fora isso, estou sempre trancafiada naqueles olhos. Ela me vigia o tempo inteiro, não sei como consegue me enxergar, com todo esse problema de não acender a luz. Ando pela casa com uma única vela e deixo que ela queime até o final, até a cera esfriar na minha mão. Nunca uso pires, quero segurar na mão. Quando a cera me queima, eu sinto que alguma coisa viva está acontecendo comigo. Eu não pedi para nascer. Sei que é besta dizer isso e que tem até música que começa com essa frase. É, eu acho que começa. Mas se está numa música, é porque muita gente sente o mesmo. O que precisa acontecer, quanto precisa acontecer, para que a gente cresça o suficiente e diga que não pediu para nascer? Eu não tenho muitas respostas para as coisas. Evito pensar. Sei que mainha está o tempo inteiro olhando meus pensamentos e não quero pensar errado. Senão posso romper.

É assim que me sinto, como uma bolsa de carne que pode se romper. Estou carregando pedras dentro de mim, coisas pontudas, e tanta coisa que não sei descrever. Antes, quando eu acordava, mesmo depois que mainha morreu, eu esperava que aquele dia pudesse ser melhor do que o dia anterior. Hoje acordo e não sei se posso imaginar um dia que não seja terrível. Como seria um dia melhor na minha vida? Pensei nisso por um tempo e a única imagem que consigo formar com todas as cores e linhas é a daquele curral assistindo ao nosso beijo. Eu queria te beijar de novo e de novo e de novo. Não sei se isso vai ser possível outra vez. Não posso nem contar com sua vontade. Quem gostaria de ser amiga e estar perto de alguém como eu? Por que você me beijou? Esse beijo foi algo que você planejou ou, não sei, será que foi um impulso? Você se arrepende? Eu queria que todos os nossos dias fossem como aquela manhã colhendo frutas. Não com a dor que eu sentia, nem com as marcas. Só nós duas e uma rede, o vento que o mato filtra e entrega cheiroso. Não sei mais no que acredito, mas tenho medo. Queria que esses pensamentos parassem de interromper as outras coisas que quero dentro de minha cabeça. Queria te beijar de novo. Muito. Queria te dizer isso. Mas isso aqui você nunca vai ler.

Escondi o caderno debaixo da cama. Vó estava perto, caminhando pelo corredor e rezando Santa Mãe, Santa Filha. O som do sapato arrastando, como se as pernas estivessem pesadas demais. Ela não estava muito bem, reclamava bastante de cansaço. E isso me enfurecia, porque ela não fazia quase nada. E se saía para comprar comida e pagar contas isso era culpa dela, porque ela não me deixava ver a rua. Então, por mim, podia se lascar. Foi o que pensei, que ela podia se lascar.

Deitei com raiva e dormi um pouco para tentar espantar a sensação. Acordei com vó ao lado, em pé, me olhando de um jeito estranho.

— Tem prato pra lavar.

Levantei e deixei minhas currulepes perto da cabeceira. A casa estava limpa, mas eu preferia me ocupar esfregando e lavando e engomando tudo de novo para distrair a cabeça com as coisas que dão errado enquanto fazemos faxina. Um balde que vira, um copo que quebra, uma cadeira que bate na parede e deixa uma marca na tinta. Coisas para me frustrar pequenininho.

De noite, acendi minha vela e sentei no chão da sala. Fiquei observando os materiais de costura e pensando no meu curso. Eu já sabia fazer vestidos e calças com tecidos fáceis de trabalhar, não era justo que eu não pudesse continuar aprendendo o ofício de mainha. O que vó esperava que acontecesse comigo depois que eu me tornasse adulta?

— Você vai morrer, Amanda.

Ela chegou sem aviso, segurando uma vela dentro de uma xícara.

Levantei e dei vários passos para trás, me batendo contra a porta. A chave balançou e caiu no chão. Pisei em cima descalça e escorreguei para o lado, mas consegui me manter de pé.

— Escutou? Você vai morrer. Sua mãe, Amanda, ela disse que você tá escondendo um segredo muito grave, muito grave, e vai morrer.

Mas como eu ia morrer, quem ia me matar? Vó, mainha, algum acidente? Eu tremia como se estivesse com muito frio, mas era medo.

Depois, só lembro da chave na minha mão e das calçadas mudando enquanto eu corria com os pés sujos. Lembro das buzinas dos carros e dos faróis machucando minha vista. O cheiro de lixo, cigarro e cuspe.

Acordei no batente da loja onde mainha trabalhou e vó falava comigo, chamava meu nome e segurava meu rosto. Disse alguma coisa sobre meus olhos. Várias pessoas passavam, mas eu não conhecia nenhuma delas.

— Vó?

Acho que ela suspirou.

Então lembro de minha cama e das coisas que ela tentava me fazer entender. Pedaços. Eu deveria ir ao médico, aquilo era alguma doença. Abri os olhos e meu quarto estava assombrado por velas, suas silhuetas dançando nas paredes. Não conseguia me mexer, falar, muito menos levantar. Desespero, pânico, boca seca. Senti lágrimas escorrerem pelos lados do meu rosto, algumas entrando nos meus ouvidos.

Vó falou que eu tinha que descansar e, antes de sair do quarto, soprou todas as pequenas chamas que me firmavam na realidade. Fiquei no escuro, pensando que talvez não me mexeria nunca mais, me esforçando para lembrar do que tinha acontecido, mas não conseguia formar nada na minha mente, tudo estava tão apagado quanto meu quarto e o escuro dava de comer ao meu velho medo infantil.

De manhã, vó me acordou. Sem pensar que não podia, sentei na cama com facilidade. Não lembrava que na noite anterior não conseguia me mexer e vó não fez comentários sobre o caso. Me chamou para plantar flores com ela. Queria transferir as plantas já crescidas para os vasos que ela considerava mais bonitos.

O chão do quintal era um mar de flor de jitirana. Muito azuis, refletindo a luz do sol quente. Soltas, juntas, em vasos, arrancadas. Muitas, tantas.

— Como a senhora trouxe essa ruma de flor, vó?

— Eu pedi ajuda praqueles moleques que ficam na feira.

— Onde a senhora encontrou? Isso é muito.

— Foi pra sua mãe, eu quero plantar pra ela.

Mainha gostava de rosa branca, não de flor de jitirana.

— Mainha mandou a senhora plantar?

— Foi, claro.

Três flores estavam caídas juntas perto dos meus pés descalços. Me assustei quando percebi que estava sem as currulepes e a imagem dos meus pés imundos piscou na minha memória. Quem lavou meus pés enquanto eu dormia? Ou quando fui deitada na cama? E vó não estava incomodada porque eu não usava as currulepes mais uma vez? Já era a terceira.

Antes que ela percebesse meu nervosismo, apanhei as três flores e levei para o quartinho de reza. Acendi as velas e separei as pétalas. Não podia tocar na estátua, então joguei as pétalas dentro do oratório, esperando que não caíssem. Só uma foi parar no chão. De cabeça baixa, pedi que mainha me enviasse um sonho, que falasse comigo ao menos uma vez.

Então vó apareceu na porta, as mãos sujas de terra molhada.

— Não tô mexendo em nada, só falando com mainha.

Ela ficou parada na entrada do quartinho, olhando para mim e para a estátua, e eu engoli a vontade incômoda de pedir desculpas.

— Já tomou o remédio, vó?

Não respondeu.

Me virei para sair e chutei algumas jitiranas esmagadas ao meu redor, alinhando o caminho que era cercado pela fragilidade daquela cor, de tanto azul em mim, no quintal, no céu, em toda parte. Fui andando numa vagareza proposital até a cozinha, sentia meus pés no tempo presente e os dedos formigarem. Na cabeça, uma pequena labareda de provocação. E se eu desse os remédios trocados? Se, em vez dos comprimidos para o coração, eu entregasse apenas remédios para dor de cabeça?

Tirei as cartelas de comprimidos da caixa e fiz a troca. Eram comprimidos brancos em cartelas prateadas, o mesmo tamanho, a mesma quantidade de pequenos círculos em duas fileiras. Não tive receio de que vó percebesse o nome diferente, já meio apagado e escrito em letras pretas. Na maioria das vezes, era eu que lembrava do horário do remédio, junto com o almoço, e eu que entregava a saúde de seu coração para que ela engolisse com o suco de cajá que eu tinha preparado.

Uma semana de teste era o meu plano. Uma semana para testar a força daquele coração responsável pelo engano que era minha vida.

Vó não percebeu, porque os adultos quase nunca percebem. Na maioria das vezes, aqueles que estão submetidos, quanto mais submissos, mais subestimados.

A tarde passou lenta e o quintal dormiu salpicado de azul e laranja. Cada vez mais ciriguelas despencavam dos galhos altos e minhas noites eram assombradas pela vela que vó carregava de cômodo a cômodo enquanto sua camisola bordada expulsava a paz do meu corpo. Eu, dentro do meu trapo de algodão, a mesma figura pequena com o bucho encostado na pia e as mãos ocupadas com os restos do ralo.

Enquanto lavava a pia, pensei em Jéssica, se ela teria contado para dona Rita sobre o que tinha acontecido no sítio. Eu não sabia dizer se eu contaria para mainha, caso fosse tudo ao contrário. Mas minha desconfiança era que dona Rita tivesse proibido Jéssica de me encontrar. Eu não podia dizer que não entendia aquela escolha, se ela fosse real, mas eu confiava em Jéssica, eu vi em seus olhos, bem no profundo de Jéssica, que aquele dia era apenas nosso. Do começo ao fim. Não, Jéssica não me abandonaria. Mas as pessoas fazem essas coisas, elas isolam a loucura alheia.

Aqueles foram os dias mais solitários de minha vida.

Logo vó adoeceu. Como se enlutasse uma nova morte, não conseguia sair da cama, exceto quando eu a ajudava a caminhar até o banheiro para que usasse o vaso e para que eu lavasse seu corpo febril. A doença, que nunca soube nomear, se estendeu por quase duas semanas até que decidi interromper meu plano. E que forte ter a consciência de que ela poderia acabar morta por minha vontade.

Mas sabendo de minha escolha, voltei atrás. Não sei explicar que tipo de morte desejei para ela, mas diante do oratório, olhando para mainha, sentindo a força de sua imagem iluminada pelo fogo, pedi que ela desse um fim ao meu sofrimento. De qualquer jeito que fosse.

14

Enquanto vó dormia à tarde, entrei com cuidado em seu quarto e abri todas as gavetas do guarda-roupa em busca do cartão telefônico que eu já tinha visto em suas mãos. Não tínhamos mais telefone em casa, mas ela dava seu jeito de ligar para quem queria, apesar de estar cada vez mais sozinha, sem contato com as amigas de antes, como se tivesse medo de ter seu mundo desmascarado. Eu contava com essa solidão, que não traria visitas, para conseguir uma ligação, só uma.

O orelhão ficava mais perto do que a casa de Jéssica. E eu também não sabia se ela me receberia, então usei a última chamada que restava no cartão para ligar e pedir que Jéssica viesse me encontrar. Soube que era a última quando a chamada caiu no meio do meu tô com saudade e não consegui terminar a conversa.

Fiquei como cera derretida, endurecida ao lado da porta, rezando para que Jéssica aparecesse. Minha voz estava tão inundada de súplica.

Depois de meia hora ela chegou. Como se adivinhasse, não bateu. Vi seu tênis preto pela fresta debaixo da porta e abri devagar, pedindo que não falasse nada e que engatinhasse até o corredor que terminava no quintal. Assim não havia risco de ser vista.

Eu confiava tanto em Jéssica que, depois de sua chegada, não pensei nem por um instante que ela podia rejeitar meu pedido, falar que não engatinharia coisa nenhuma e apenas ir embora.

Como eu pedi, Jéssica se arrastou.

No quintal, debaixo do pé de ciriguela, sentamos lado a lado. Encostamos as pernas bem juntas, o tênis e a currulepe, e entrelaçamos nossos braços como fazíamos na escola, sentadas nos bancos do pátio. Demorei a falar, não mais por medo, mas pela sensação de que aquele momento quieto era meu jeito de absorver um pouco de Jéssica. De procurar em sua pele o que ainda existia entre nós duas. Ficamos assim, protegidas do sol quente, sentadas em cima das folhas caídas, até que o silêncio foi quebrado pelo barulho de uma sacola de mercado que estava escondida no short de Jéssica, por baixo da blusa, e que ela me entregou.

Não sei como não percebi.

Ela pediu desculpas pela embalagem, mas eu não precisava de papel de presente, de laços, enfeites, cartão, cerimônia. Ela estava me dando algo que eu sempre quis. Uma calça jeans. E uma blusinha rosa com brilhos que combinavam com um cinto de *strass*. Eram suas próprias roupas. Fiquei tão emocionada e afoita que queria provar tudo ali mesmo, debaixo da árvore, no meio do tempo, mas Jéssica segurou minhas mãos e apertou meus dedos.

O pé de ciriguela fazia uma grande sombra e servia de descanso para cigarras que não paravam de cantar. Eu tinha medo da música das cigarras quando era novinha, porque achava parecido com alguém fazendo psiu psiu psiu scm parar. Mas o canto das cigarras, o galo da vizinha, os carros buzinando na rua, nada conseguiu romper as barreiras dos meus ouvidos quando Jéssica me beijou outra vez.

Queria conseguir me soltar do meu corpo, assim como se um botão pudesse ser apertado por minha vontade, e olhar tudo de cima, só para ter a visão de minha alegria naquele momento. Ainda sem jeito, segurando as roupas que sempre quis ter, beijando a garota de quem sempre gostei.

Até esqueci que vó podia levantar e aparecer no quintal. Eu estava em outro lugar, como se o quintal fosse outro mundo. Nem me lembro em que momento paramos de nos beijar para que eu pudesse ir ao banheiro vestir a nova roupa.

Mas lembro que Jéssica me elogiou muito. Disse que a calça estava perfeita, que o cintinho estava lindo, que não precisava nem deixar a barriga de fora.

Então ela achou triste que o vestido azul me escondesse.

E como se uma cortina se fechasse, o sentimento impenetrável se rompeu.

Combinamos um encontro para a noite do dia vinte e cinco. Tanto vó como dona Rita comemoravam o Natal no dia vinte e quatro. Para Jéssica não seria nenhum problema ficar por duas ou três horas na praça, ela podia encontrar seus amigos, não seria uma saída fora do comum. No meu caso, tentar era tão importante quanto deixar que uma nova esperança aparecesse. A promessa de uma realidade diferente, de Jéssica, de ter uma pessoa esperando por mim, de que o melhor pudesse acontecer um dia ou qualquer outra fantasia que eu tinha abraçado.

Eu sabia me convencer das coisas.

Só precisava dar boa-noite mais cedo, fechar a porta do meu quarto e apagar a vela. Vó nunca me chamava depois que eu ia dormir, desde que eu deixasse a cozinha limpa. Essa seria minha brecha.

Minha ansiedade era tão grande que, antes mesmo da noite do dia vinte e quatro, troquei meu vestido azul pela roupa de

Jéssica. Eu só queria me olhar no espelho por alguns minutos, avaliar a imagem que Jéssica teria durante nosso encontro, me ver de cachos soltos, sem elástico no cabelo, sem o rosto que me envelhecia e tirava meus poucos anos de mim. Era uma boa imagem. Se eu pudesse, seria menos feia.

Distraída por minha imaginação, não escutei o chamado de vó, não corri para trocar de roupa e esconder a calça debaixo do colchão, não entrei no vestido azul, não apaguei a vela que indicaria meu sono.

A surpresa das mãos me agarrando me fez gritar. Não me lembro de ter visto o reflexo de vó no espelho. Tudo o que veio nos minutos seguintes foi escondido em algum lugar que não sei onde fica. Minha única recordação é de meu corpo sendo empurrado para dentro do quartinho e do som da chave rodando duas vezes para me trancar.

15

— Se recebo tão pouca comida, como pode sair tanta bosta? O mijo eu até entendo, uma garrafa de água por dia, acho que é um dia. Às vezes ela traz essa cajuína choca, mas não confundo com bondade, eu só não entendo. Bebo olhando pra estátua, que ainda tá coberta por esse pano azul, que azul entojado, e não entendo o tempo passando. Não entendo o prato de arroz e feijão que essa velha perversa joga pelo chão e eu nunca pego a hora certa de segurar a porta pra fugir. Mas a estátua me ignora e essa covardia, sim, eu entendo. Ninguém foi lá tirar a covardia de cima dela. Pode olhar como isso é falta de coragem, falta de vergonha, ou vergonha muita. É fácil me mandar ficar pelada e ajoelhada, é tão fácil me diminuir, me esmagar. Eu me entrego. Mas a estátua não sabe de todo o processo? Será que não me vê esfregando meu couro com aquele sabão podre? Eu não aguento mais aquele cheiro, meu cabelo tá que é palha pura, e aquela mão de velha me toca e me empurra. A estátua não vê que meu corpo inteiro dói? Olha pra mim e me diz se faço as coisas porque eu quero? Nem o lugar onde cago é escolhido por mim, ela deixou você aqui sem que eu pedisse, sem que eu quisesse. Agora tá aí esse fedor e não tenho como jogar fora e lavar, como lavei o penico dela, inferno, aquele balde com dois toletes de bosta arrodeados pela piscina de mijo. Muita falta de caridade deixar um penico debaixo da cama pra neta limpar e entregar bem cheirosinho. Será que tem alguma coisa que deixe essa velha porca com vergonha? Será que ela tem vergonha da estátua de mainha, por isso esse pano cobrindo? Eu vou tirar o pano pra me limpar, não dá pra ficar assim suja, eu tô com agonia de sentar e deitar, esse monte de resto de merda carimbando a minha bunda, melando até o chão do outro lado do quarto, agora vou dormir sem ter uma parede pra me escorar. Eu quero sair do meu corpo e ser outra coisa. Quero ser outro tipo de gente, um tipo que ninguém consegue trancar no escuro, nem forçar a tirar a roupa, e eu já vivo tão acostumada a isso, como é que se acostuma a esse tipo de coisa? Por que eu não grito? A vizinha dona do galo com certeza ia escutar. Mas eu só choro. Quero ser outra pessoa que não chore quando deveria era gritar. Cheguei até aqui querendo evitar tanta coisa, evitar o castigo, evitar a vergonha, evitar não ter pra onde ir. Mas eu me recuso a trocar de lugar, se ela botou você do lado da porta então que aguente também quando começar a escorrer pelo batente, eu vou achar é bom, que mele o arroz e o feijão logo todo, que vire uma sopa de bosta com os caroços boiando. Tô que nem num filme, presa por quantos dias, quatro dias, cinco? Só porque vesti uma calça jeans. E ela nem sabe que eu ia sair escondido. Jéssica. Que aperreio pensar nela sozinha na praça sei lá até que horas, me esperando, achando que pelo menos, mesmo que atrasasse, eu ia chegar porque uma hora essa velha tem que dormir. Mas o perigo dela sozinha ali e ficando cada vez mais tarde sem uma alma viva na praça. Que medo de Jéssica pensar que eu não quis o encontro, que desisti, que medo, que medo grande de ela não querer mais fazer parte de minha vida. Eu não quero mais fazer parte de minha vida também. Ah, agora tu resolveu transbordar? Eu vou deitar onde, ali debaixo do altar? Nem fósforo eu tenho pra acender uma vela, imagina se eu queimo a toalha, se pega fogo aqui dentro e aí vó seria forçada, né, a me tirar. Mas é tão ruim, tão ruim, que não tem nem como não maldar, a bicha é capaz de me deixar aqui pra sapecar e virar uma tora queimada. Mas na frente da estátua? Por que ela não se importa se eu tô espalhando imundície nesse quarto todo, o quarto da estátua? Já passou o Natal. Será que tá perto do Ano-Novo? Pronto, escuta, os fogos, virou o ano, virou o ano e eu aqui assim, só eu, você e a estátua. Peraí, vó tá chegando, eu conheço até o arrastado da chinela, peraí.

— Toma sua roupa, Amanda.

16

No primeiro dia do ano, poucas horas depois de abrir a porta, ela me forçou a lavar o balde que fiz de banheiro, o quarto de reza e o quintal. Entregou a chave na minha mão. Deu a ordem com a boca frouxa, como se aquela imundície não importasse mais do que a sujeira comum de todos os dias.

Primeiro usei o rodo, para não entrar sujeira nas cerdas da vassoura. Puxei tudo aquilo, dizendo para mim mesma que eu não estava louca. Não sabia como tinha chegado naquele estado, mas não era a primeira vez que os feitos de vó me faziam ultrapassar todos os meus limites. E eu nem sabia quais eram meus limites, ninguém me ensinou como me equilibrar nas beiras de meu corpo.

A dor não se controla, não se doma. Não a minha. Tantas vezes pesadelos e imagens, tantas vezes os gritos. Os pesadelos diante dos meus olhos abertos e a repetição de que aquilo não é real. Não é real, não é de verdade. Mas também era.

Eu tentava lembrar, mas as provas daqueles dias entre o Natal e a virada do ano não eram claras. Só sujeira para todo lado, eu me controlava muito para não vomitar. No canto do quarto, o pano de cetim estava muito nojento. Mas o altar estava intacto. Exceto pelo cetim roubado da estátua, todo o resto continuava em seu perfeito lugar.

Eu jogava água, sabão em pó, esfregava, puxava, repetia. Até que tudo voltou ao seu estado limpo, apenas com as teias de aranha nos quatro cantos do teto.

Estava certa de que nunca mais conseguiria encontrar Jéssica. Vó fez questão de me contar que todas as chaves, incluindo a da porta da rua, estariam o tempo todo com ela. Eu não poderia sair sem pedir permissão, não poderia encostar a porta de meu quarto sem pedir permissão.

Não pediria. Não queria me rebaixar ainda mais. Sempre dá para arrastar mais.

Terminei a lavagem do quartinho e deixei a porta aberta para ventilar. Enquanto isso, passei para a limpeza do quintal.

Essa parte era muito simples e eu fazia pelo menos uma vez por semana. Varria e catava as folhas do pé de ciriguela, jogava um pouco de água na terra para baixar a poeira, esfregava com a vassoura a área onde ficavam as plantas azuis de vó. Por último, lavava o tanque para desgrudar qualquer restinho de sabão em barra.

Não era um trabalho péssimo. Na verdade, era uma das poucas coisas que eu gostava de fazer, por mais que fosse um trabalho de casa e, por isso, um trabalho que nunca tem fim. Eu me sentia melhor perto da natureza, e até as folhas caídas, verdes ou secas, me acalmavam.

Sentei por alguns minutos no chão debaixo do pé de ciriguela, apanhei algumas mais laranja e vermelhas que estavam perto de mim e ouvi o barulho de meu soim descendo pelos galhos. Eu sabia que era ele e sua vinda foi um conforto. Ele subiu no meu colo e ficou me olhando, esperando que eu oferecesse uma frutinha.

Eu deixava ele tomar todas as atitudes. Se ele queria comer, eu estendia a mão. Se queria ficar perto de mim, se aproximava. Subia nos meus ombros, mexia no meu cabelo. Eu não tentava fazer carinho, deixava que ele se divertisse e recompensava o contato amigável com as ciriguelas maduras.

Ficamos um tempo juntos aproveitando a sombra. Tentei imaginar como seria o meu futuro. Quando terminaria o ensino médio, se conseguiria um bom trabalho, se eu teria um cachorro, se viajaria para a capital, se me casaria. A única coisa que nunca passava por meus pensamentos era ser mãe. Não queria ser a adulta na vida de uma criança.

Pelo menos meu macaquinho não me mordia. Procurei por ele ao meu redor e não encontrei. Achei curioso como ele tinha sido silencioso. Imaginei que tivesse subido pela árvore e ido embora encontrar seu grupo, então saí do quintal e fui lavar pratos.

Na pia, uma travessa com restos do que parecia ser carne de peru. Outros pratos com manchas de comidas dessas que são tradições de dezembro. Eu não tinha nem sentido o cheiro. Vó preparou e comeu tudo sozinha.

Então me assustei com o barulho de alguma coisa caindo. Foi um som mais grave, de algo pesado.

Levei alguns segundos para lembrar que a porta do quartinho estava aberta e que eu não tinha visto o soim ir embora. Corri até lá e, quando entrei no quartinho, vi o oratório caído por cima do altar e a estátua de mainha largada no chão, distante.

Pelo estrago, a estátua só podia ter quicado. Estava com parte da cabeça rachada e vários arranhões.

Mal coloquei a estátua de mainha de volta no oratório, esquecendo da impureza proibida de minhas mãos, e o som dos passos de vó me assustou.

— O que aconteceu aqui?

Não dava para disfarçar, apenas me mantive calada e deixei que ela descobrisse sozinha.

Veio farejando o problema como uma cadela louca com espuma na boca. Quando viu a estátua, girou o corpo e o braço para me pegar pelo cabelo e me puxou para o chão.

— Você vai morrer. Se sua mãe não enviar algo que leve sua vida, eu mesma te mato!

Embora ela tenha tentado me matar algumas vezes, e quase conseguido, era a primeira vez que uma ameaça escapava com letras que costuravam a intenção.

— Não fui eu.

Me bateu como todas as vezes. A ordem raramente mudava. Cabelo, rosto, pernas. Dependendo da raiva, barriga, costas e cabeça. O mundo se transformando numa névoa branca e densa, meus olhos se fechando aos poucos.

— Eu tinha que saber que você ia dar pro que não presta. Foi da mistura que te fez. Qualquer macho que ninguém sabe o nome. Só podia. Filha de ninguém sabe quem.

Empurrei seus braços e me arrastei para perto do altar.

— Filha de ninguém sabe quem?

— Você achou mesmo que tinha pai? Tua mãe nunca nem soube quem era o macho.

Eu tentava me lembrar da história que mainha me contou. Sobre como meu pai tinha me abandonado, como tinha escolhido não fazer parte da minha vida. Nada sobre não saber quem ele era. Mainha disse que eu não merecia a dor de ter mais detalhes na minha cabeça de criança.

Então meu corpo foi tomado por vontade de movimento. Agarrei a primeira coisa que vi na minha frente, uma das velas. Quebrei a vela ao meio. Achei pouco. Arranquei as currulepes dos pés e joguei em vó. Ela veio para cima de mim e eu a empurrei. Ela bambeou para trás.

— Nem venha!

Puxei o vestido por cima e joguei o pedaço de pano duro para longe. Quando me virava para pegar a segunda vela, vó me segurou pelo cabelo e rasgou a pele de meu pescoço com as unhas. O sangue apareceu avexado, descendo por meu ombro esquerdo e pelo caminho de meu espinhaço. Me libertei empurrando vó com a perna direita. Ela caiu no chão e seus olhos se tornaram enormes, parecia não conseguir acreditar. Ela gritava e tentava me impedir.

Tomei a estátua do oratório e joguei no chão. Segurei outra vez e joguei mais longe. Só parei quando vi que mainha estava bastante rachada, os pedacinhos espalhados pelo chão.

Saí do quarto só de calcinha, pingando sangue. Queria a roupa que eu gostava, a calça e a blusa. Estava pegando fogo, doida para revirar todas as coisas daquela casa até encontrar onde ela tinha enfurnado meu presente.

Como uma maldição que me perseguia, ela me alcançou e tentou me bater. Aguentei alguns tapas, ela me fez ajoelhar no chão me puxando pelo cabelo, estava preparada para bater minha cabeça contra os azulejos quando eu segurei seus tornozelos e vó se desequilibrou, caindo no chão de novo, mas numa posição pior.

— Pare, vó! Pare.

Ela me encarou forçando uma expressão de coitada. Se a tristeza de seu rosto era real, só estava ali pela desolação que era perder sua autoridade.

Eu não tinha planos, não fazia ideia do que aconteceria depois. Só queria ir para meu quarto.

E como se pensássemos na mesma solução, ela também foi para o seu e fechou a porta.

Deixei que ficasse isolada, mas passei a noite inteira chorando. Tudo o que eu acreditava e tudo o que era motivo de dúvidas estava destruído. Se realmente achei que mainha tinha virado santa, e por algum tempo acho que acreditei nisso com todo o meu coração, naquele dia minha cabeça virou.

A estátua não era abençoada, todas aquelas regras absurdas eram ridículas e, depois de conseguir dizer isso com a boca cheia, enxergava como eram aterradoras.

Eu chorava também de vergonha. Que vergonha ter passado por todas aquelas coisas. Que vergonha ter acreditado, e ter obedecido, e ter vagado como alma, ter caído como vítima.

No dia seguinte, vó não saiu do quarto. Já era mais de seis da noite e ela não abriu a porta. Imaginei que estava se enrolando na cama fazendo mais um de seus dramas encenados, certa de que eu abriria a porta para adular, dar de comer, limpar, até que uma cliente apareceu e insistiu muito para que eu a chamasse, a encomenda era urgente. Tive que entrar devagar no quarto, cochichando. Mas não pude evitar o grito.

Suas pernas estavam em cima da cama e seu corpo caía pela metade virado de barriga para baixo. As mãos tocando o piso e o cabelo solto.

17

Lembro de muitas pessoas vestidas de preto, velhas com voz melancólica, o padre Antônio Bezerra conduzindo o enterro, organizando os momentos de reza que tomavam fôlego entre os momentos de chorar, tia Margarete passando a mão na minha cabeça, Jéssica do outro lado, segurando a mão da mãe, dona Rita com a filha protegida ao lado de seu corpo, e Jéssica sempre mirando em meus olhos, contando minhas gotas, pingando comigo os segredos compartilhados. E eu com a estátua nos meus braços. Coberta pelo pano de cetim azul, que eu também lembro de ter lavado, a escultura com o rosto de mainha passou como uma Virgem Maria sendo preservada.

Quando o sepultamento acabou, tive poucos minutos para me despedir de Jéssica e prometer que nos veríamos sempre que possível, ela seria bem-vinda no sítio, tia Margarete prometeu, e nas férias eu poderia ficar com ela em Juazeiro, se dona Rita deixasse. Apesar de finalmente termos o caminho para o encontro, a despedida doía por ser incompleta. Apenas recebi o abraço, que não durou o tempo que eu precisava. Ali não era lugar de criança, de Jéssica, de beleza, nem era momento para as sementes que Jéssica plantava em minha boca.

Quando tudo acabou, pedi para tia Margarete me esperar na casa que seria desarmada. Queria ficar um tempo sozinha no cemitério de minha infância, acompanhada de meus assombros que já não eram o pavor de encontrar uma visagem.

Sentei num túmulo ao lado de onde aconteceu o sepultamento. Era de granito, a placa anunciava a morte de uma filha adolescente, seu nome entre flores de concreto. As pessoas já estavam distantes e o cemitério voltava ao seu natural, habitado pela brisa dos rancores. A brisa que acarinhava meus cachos soltos ainda úmidos de creme.

Ao lado de vó, o túmulo de mainha continuava novo, como se feito na semana anterior, e uma fileira de formigas passava por cima do Fabiana Souza Santos.

O dia estava quente, no tom de céu sem nuvens.

Levantei para ir embora e deixei a estátua em pé sobre a terra mexida onde o corpo de vó estava enterrado.

Na casa que já se desfazia, restei com minhas malas para uma vida diferente.

Numa delas, os dois vestidos azuis.

Agradecimentos

Ao meu namorado, à minha editora Luara França e aos amigos Victor Sousa, Lourdes Modesto, Gabriela Soutello, Tamy Ghannam e Cristhiano Aguiar.

1ª EDIÇÃO [2022] 4 reimpressões

ESTA OBRA FOI COMPOSTA PELA ABREU'S SYSTEM EM ADOBE GARAMOND
E IMPRESSA EM OFSETE PELA GRÁFICA BARTIRA SOBRE PAPEL PÓLEN BOLD
DA SUZANO S.A. PARA A EDITORA SCHWARCZ EM JUNHO DE 2024

A marca FSC® é a garantia de que a madeira utilizada na fabricação do papel deste livro provém de florestas que foram gerenciadas de maneira ambientalmente correta, socialmente justa e economicamente viável, além de outras fontes de origem controlada.